小学館文庫

勝ちたければ歴史に学べ

野村克也、知の野球史

野村克也

小学館

◆勝ちたければ歴史に学べ　野村克也、知の野球史◆　目次

第二章 闘った！ 見た！ 考えた！ 77

第三章 チェンジアップをもう一球 165

はじめに

ベーブ・ルースやルー・ゲーリッグを中心とするメジャーリーグ選抜チームが来日し、全日本軍と戦ったのが一九三四年のこと。メジャーリーグ選抜は全国各地で全日本軍を圧倒したが、十一月二十日、静岡・草薙球場での一戦では、敗れはしたものの、沢村栄治さんが七回にゲーリッグに浴びた一失点のみに抑える快投を見せ、日本国民を熱狂させた。そして年も押し迫った十二月二十六日、この全日本軍を母体に、巨人軍の前身である職業野球チーム「大日本東京野球倶楽部」が正式に発足する。

私がこの世に生を受けたのはその翌年、一九三五年である。この年の十二月には大阪野球倶楽部（阪神タイガースの前身）が誕生。翌三六年に東京巨人、大阪タイガース、阪急、名古屋金鯱、名古屋、大東京、東京セネタースの七球団により、日本職業野球連盟が創設され、その年の暮れに行われた優勝決定戦では、沢村さんの三連投で巨人がタイガースを下し、初代王者に輝いた。

以来、八十有余年。その間、さまざまなことがあった。数々の名選手が登場し、数々の名勝負、ドラマが生まれた。グラウンド外でもいろいろな出来事や事件が起こった。日本人選手がメジャーリーグで活躍するという、プロ野球草創期はもちろん、私の現役時代でも想像しえなかったことも現実となった。そうした歴史の積み重ねの上に、いまのプロ野球の繁栄はある。

一九三五年生まれの私の人生は、日本プロ野球の歴史にほぼ重なる。ということはつまり、プロ野球界で起こった出来事の大部分を、当事者として体験、あるいはこの目と耳で見聞きしてきたといっても過言ではないだろう。

そこで、私なりの視点からプロ野球八十年を振り返ってみることにした。近年、かつてともに戦った〝戦友〟が次々と鬼籍に入り、もはや私と同世代のプロ野球ＯＢは数えるほどになってしまった。私に残された時間も、そう多くはない。プロ野球で起こったさまざまな出来事について、それらを知る者のひとりとして記憶と記録を残しておくことは、私の責務であると考えた。

記述にあたっては、その出来事が起こった背景やその裏にあったエピソード、その後に与えた影響などについても、自分が体験したことや私なりの考えを記すよう努めた。これまであまり表に出ることのなかった話題も少なくないはずだ。

私がプロ入りする前の出来事に関しては伝聞や憶測に基づく情報もあり、なかには勘違いや思い込みによる事実誤認もあるかもしれない。

とはいえ、私の気持ちに偽りはない。美化もしていない。経験したまま、見聞きしたまま、感じたまま、忌憚(きたん)なき意見を率直に述べたつもりである。当時を知っているオールドファンは「そういえば、そんなことがあったな」と懐かしく思い出していただければいいし、若い人たちは「こんなことがあったのか!」と興味を持ってもらえればいい。そうして、これからも歴史を刻んでいくであろう日本プロ野球の〝当事者〟として、末永く声援を送っていただければうれしい。

第一章
巨人こそがプロ野球だった

父要市（前列右から２人目）、母ふみ（いちばん左）、兄嘉明（前列左から３人目）、克也（父要市に抱かれている）。克也が３歳のときに、父は戦地で病死してしまった。（写真提供：野村克也）

1 沢村栄治なかりせば、私もいない

プロ野球――それは私の人生そのものであった。

三歳のとき、日中戦争に出陣した父親が中国で戦病死した。女手ひとつで三歳上の兄と私を育てていかなければならなくなった母親も、無理がたたったのだろう、私が小学二年生と三年生のときに二度大病を患い、一家は極貧といっても過言ではない状況に陥った。家計を少しでも助けるため、私も新聞配達やアイスキャンディ売りなどのアルバイトをしなければならなくなった。

そんな私にとって、唯一といってもいい娯楽がプロ野球だった。第二次世界大戦が終わり、中断していたプロ野球が復活した。不自由を強いられていた戦時中の反動もあったのだろう、プロ野球の人気は一気に爆発した。

私もラジオから流れてくるプロ野球中継に夢中になった。そのころプロ野球選手に対して抱いた憧れは、いつしか「自分もそうなりたい」という願望になった。

「大金を稼いで、母親を楽にしてやりたい」

そう思ったからだ。

何年後かにその願いは現実となり、現役を退いてからも監督として、あるいは評論家として、ずっとプロ野球の世界で生きてきた。そう、私の人生は、まさしくプロ野球とともにあったのである。

これから私は、私の目で見た「日本プロ野球史」を記していこうと考えている。となればやはり、この選手について語ることからはじめなければならない。

沢村栄治――この大投手なかりせば、その後のプロ野球の隆盛はなかったかもしれないからである。

ベーブ・ルースを手玉に取った日米野球での快投

「伝説の名選手」と呼ばれる選手は少なくないが、沢村さんほどその言葉にふさわしい選手はいないだろう。沢村栄治という名前は、いまなお色あせることなくファンの胸に刻み込まれている。

沢村さんを「伝説」たらしめている最大の理由はやはり、一九三四年に開催された

第二回日米野球での快投だろう。十一月二十日、静岡・草薙球場で行われた第十戦。全日本チームの先発としてマウンドに立った当時十七歳の沢村さんは、メジャーリーグ選抜の強打者たちをきりきり舞いさせたのである。

「ベーブ・ルースを呼びませんか？」

日米野球は、池田林儀（しげのり）という報知新聞の記者が、のちに巨人軍の創設者となる読売新聞社社長・正力松太郎（しょうりきまつたろう）氏にそう提言したことからはじまったという。当時は全国中等学校優勝野球大会（現在の夏の甲子園）、早慶戦をはじめとする東京六大学野球が人気を集め、野球人気が高まっていた。そこにメジャーリーグのスーパースターであるベーブ・ルースを呼べば大きな話題となるのは確実。そして、それは朝日新聞や毎日新聞の後塵（こうじん）を拝していた読売新聞にとって、部数拡大の大きなチャンスとなるはずだ――そう考えた正力氏は、日米野球の開催を決意する。

こうして第一回の日米野球が一九三一年に開催される。残念ながら、このときはルースの来日は叶（かな）わなかったが、ルースと並ぶニューヨーク・ヤンキースの主砲ルー・ゲーリッグ、フィラデルフィア（現オークランド）・アスレティックスのエース、レフティ・グローブら名だたる選手が大学生およびそのOBで構成された全日本チームと対戦、球場には多くの観客が詰めかけた。そして一九三四年、メジャーリーグ通として知られていた貿易商・鈴木惣太郎氏らの尽力で、ついにルースを含むメジャーリーグ選抜軍が再来日する運びとなったのである（なお、このときも来日を渋っていたルースが承諾したのには、鈴木氏がルースの顔を大きくあしらった日米野球の宣伝ポスターを直接見せたことが奏功したという）。

日米野球には私も何度か出場したことがある。私の時代は前年にワールドシリーズを制したチームと対戦したのだが、正直、まったく勝てる気がしなかった。見るもの聞くもの驚くことばかりで、とくに彼らの体格とパワーには打ちのめされた。当時のスーパースター、ウイリー・メイズ（サンフランシスコ・ジャイアンツ）の腕を触らせてもらったときの驚きを、私はいまも忘れない。筋肉が漲っていて、皮一枚がつまめただけだった。私のころでさえそうだったのだから、まだプロ野球すらはじまっていない時代の彼我の力の差がどれほどのものだったのかは想像に難くない。

しかも、このときの来日メンバーは、ルース、ゲーリッグのほかにも、このふたりにひけを取らぬ強打者ジミー・フォックス（アスレティックス）、ヤンキースの豪腕レフティ・ゴメス（いずれも殿堂入りを果たしている）をはじめ、「選抜軍」の名に偽りのない大物ばかり。事実、それまでの九試合の全米チームの得点は、十七、五、五、七、十、十三、十四、十五、二十一。もちろん全勝である。打たれたホームランは二十九本を数えていた。

「取るつもりなら一試合に五十点は取れる」

草薙球場での試合前、ルースはそう語ったという。

そんな相手に、京都商業（現京都学園高校）を中退したばかりの「スクールボーイ」が快刀乱麻のピッチングを展開したのである。九つの三振を奪い（なかには一、二回にチャーリー・ゲーリンジャー、ルース、ゲーリッグ、フォックスから奪った四連続三振も含まれる）、許したヒットはわずか五本。そのうちの一本が七回にゲーリッグに打たれたホームランだったため、〇対一で敗れはしたが、沢村さんの名声は日本国内だけでなく、全米チームに同行した外国人記者によってアメリカにも広まったという。

沢村のボールはどれだけ速かったのか

むろん私は、沢村さんのピッチングを見たことはない。目にできたのは、左足を高々と上げる独特のフォームを捉えた写真だけである。よって、沢村さんがどんなピッチャーだったのか、いかなるボールを投げたのかは、証言に頼るしかない。スポーツライターの二宮清純氏の著書『最強のプロ野球論』には、実際に沢村さんを見たり、対戦したりしたことのある選手たちの印象が紹介されている。そのひとり、日米野球にも全日本のショートとして出場した苅田久徳さんはこう述べている。

「当時のピッチャーは、速球派でも今のスピードガンでいえばせいぜい百二十キロ程度でした。ところがひとり沢村だけはゆうに百五十キロを超えていた。球質は軽いほうでしたが、胸元のボールはホップしているように見えましたよ」

この「ボールがホップした」というのは、多くの選手が証言するところである。

「ホップしたように見える」とは、要するに「ボールに伸びとキレがある」ということだ。

私が対戦したなかでは、西鉄ライオンズ（現埼玉西武ライオンズ）の稲尾和久がそういうボールを投げていた。稲尾のボールを受けると、キャッチャーのミットがボーンと跳ね上がる。手元で伸びてくるから、思ったより浮かび上がるのである。ミットは嘘をつかない。スピードガンの表示がいくら速かろうと、ボールに伸びがなければミットは下がる。稲尾は球速でいえば、せいぜい百四十五キロ程度しか出ていなかったと思うが、バッターボックスに立つと百五十キロ以上に感じたものだ。

おそらく沢村さんのボールも伸びとキレがすばらしかったのだろう。「ミスター・

タイガース」こと藤村富美男(ふみお)さんは次のように回想している。

「ワシはアメリカのピッチャーとも何度か対戦したけど、あれほど伸びのあるボールを投げるピッチャーはおらんかった。なにしろ、ど真ん中のボールが当たらんのやから。ワシらは戦争に巻き込まれた世代やけど、よく皆で『銃弾と沢村のボールはどっちが速いか』なんて話もしましたよ。ホンマ、それくらい速かった」

　巨人で沢村さんの後輩にあたる青田昇(のぼる)さんは、著書『サムライ達のプロ野球』のなかで「全盛時代のピッチングは見たことがない」と断ったうえで、沢村さん自身がこう話すのを聞いたと証言している。

「俺の一番球が速かったときは、ベース板の前の縁を目標に、ボールを投げたもんだよ」

　つまり、ホームベースの手前をめがけて投げれば、ボールが伸びて、ちょうどストライクの高さに行くということである(ちなみに、のちに青田さんが豪腕投手として知られる東映フライヤーズ〈現北海道日本ハムファイターズ〉の尾崎行雄(ゆきお)に訊(たず)ねると、「キャッチャーのヒザ」、V9時代の巨人のエースだった堀内恒夫(つねお)は「ボールが右手から一本の糸をまっすぐ張ったようにキャッチャーのミットめがけて飛んでいった」と答えたそうだ)。

青田さんは、こんなエピソードも紹介している——全日本チーム初の合同練習が行われたときのこと。沢村さんのボールを受けようとした大学出のベテランキャッチャーが、三球連続パスボールをしてしまった。低いと思ってミットを下へ突き出したとたん、ボールがホップして肩口を抜けていったというのである。また、大阪タイガース（現阪神タイガース）は沢村対策のために、バッティング練習の際、ピッチャーに一メートル前から投げさせたという話も残っている。こうしたことから結論すれば、沢村さんのボールが当時のピッチャーのなかでは飛び抜けて速かったことは間違いないだろう。

加えて沢村さんにはドロップがあった。いまでいえば、縦に落ちるカーブのことだが、沢村さんのそれは「懸河（けんが）の如（ごと）く」と喩（たと）えられたほど大きく落ちたといわれる。

私が知るなかでは、金田正一（まさいち）さんがそういうドロップを投げた。長身の金田さんが繰り出すドロップは、まさしく二階から向かってくるようで、しかもドローンという軌跡を描くのではなく、「キュッ、キュッ」と二段階に鋭角的に落ちてくる。常時百五十キロは出ていたのではないかと思われる豪速球にそのドロップを組み合わされると、もはやなす術（すべ）がなかった。

捕手のリードは日本のほうが進んでいた？

おそらく沢村さんも、そういうピッチングでルースやゲーリッグを手玉に取ったのではないかと思う。

草薙球場での試合後、「ベーブ・ルースに穴はあるか」と聞かれた沢村さんは、こう答えている。

「膝あたりの球で、インコーナーをつくカーブは比較的打てないようです。概してそこを通す球は弱いように思いました」

ルースも「沢村は試合を重ねるごとにだんだんうまくなる。われわれの欠点もよく見抜いていく研究心が見られる」と語っている。

じつは私も日米野球で、阪神タイガースのエースだった村山実（みのる）とバッテリーを組み、メジャーリーガーをシャットアウトした経験がある。一九六二年、デトロイト・タイガースを迎えての第十六戦だった。

村山は第七戦で先発し、敗戦投手になっていた。力で押しすぎて、自滅したのだ。そこでこの試合では、外角低めのスライダーと内角低めのシュートで左右にゆさぶり、追い込んだら村山の決め球であるフォークボールで勝負することにした。さらに相手が慣れてからは逆にフォークを見せ球にし、勝負球はストレートという配球を組み立てた。これが奏功し、八回二死までタイガースをノーヒットに抑えたのである。

メジャーリーガーたちのパワーやスピード、技術にはとても太刀打ちできないと感じた私だが、ことリードの緻密さに関しては、当時から日本のほうが進んでいると感じていた。事実、一九五六年、メジャーを代表するキャッチャーのひとり、ロイ・キャンパネラ（ブルックリン・ドジャース）と話す機会を得たとき、配球について訊ねると、彼はこう答えるだけだった。

「ピッチャーのいちばんいい球を投げさせればいいんだよ」

メジャーきってのキャッチャーでさえ、リードについてはその程度の認識しか持っていないのは驚きだった。

全日本で沢村さんとバッテリーを組んだのは、早稲田大学の名捕手として知られ、全日本では主将を務めた久慈次郎（くじじろう）さんだった。沢村さんの快投劇には、沢村さんとともにメジャーリーガーたちの弱点を見抜いたであろう久慈さんのリードも大きく貢献していたかもしれない（久慈さんは沢村さんとともに第一回の野球殿堂入り選手となった）。

とはいえ、この試合では「さすがはメジャーリーガー」となる場面もあった。七回にゲーリッグにホームランを打たれたのは、沢村さんがドロップを投げる際に口許（くちもと）を歪（ゆが）めるクセがあり、それをゲーリッグに見破られ、狙い打ちされたからだというのだ。第十六戦に先発した沢村さんがKOされたのも、そのときにはすでにクセが全米チームに知れ渡っていたことが大きかったという。

ピッチャーのクセを研究するのはいまではあたりまえのことだが、日本ではじめてそこに目をつけたのはこの私だといっていい。この話が事実だとすれば、やはり「メジャーリーガー恐るべし」と脱帽するしかない。

三度目の出征で豪腕は台湾沖に沈む

沢村さんは、日米野球後に全日本チームを母体として誕生したプロ球団「大日本東京野球倶楽部」（前述したように、これがのちに巨人となる）の創設メンバーとなり、一九三六年にはじまったリーグ戦で、日本初のノーヒットノーランを含む十四勝三敗、防御率一・一八。大阪との年度別王者決定戦でも三連投し、巨人に優勝をもたらした。そして、その翌年は三十三勝十敗、防御率一・三八（当時は春・秋の二シーズン制で、春にかぎれば二十四勝四敗、防御率〇・八一、百九十六奪三振で投手タイトルを総ナメした）の成績を残す。

しかし、一九三八年応召。手榴弾（しゅりゅうだん）を投げさせられたことで右肩を痛めただけでなく、左掌貫通銃創という重傷を負ってしまう。そのため、帰還後は以前のようなボールを投げられなくなった。一九四一年には二度目の入営。二年後に再び復帰したが、もはやオーバースローで投げることすらできなくなり、そのオフには戦争の激化でチーム縮小を余儀なくされた巨人から解雇されてしまう。沢村さんは怒り、他球団への移籍も考えたが、鈴木惣太郎氏に「きみは巨人軍の沢村としてここまで来た。このまま巨人で終わるべきではないか」といわれ、引退を決意したという。そして一九四四年、じつに三度目の徴兵を受け、レイテ島に出陣する途中、台湾沖で還（かえ）らぬ人となった。

それにしても、沢村さんはなぜ三度も出征せねばならなかったのか。これには、沢村さんが京都商業を中退したことが影響していたのではないかといわれる。

じつは、沢村さんは慶應義塾大学への進学がほぼ決まっていた。ところが、当時はいわゆる「野球統制令」が出されていた。これは、文部省（当時）から出された学生スポーツとプロの対戦を禁止する訓令で、ために当時の国内野球の主流を占めていた東京六大学の選手をはじめとする大学生は日米野球に出場することができず、全日本は社会人を中心に構成されざるをえなかった。もちろん、野球統制令は中等学校の選手にも適用されたから、沢村さんは京都商業を中退して全日本に参加したのである。

中退した理由は、契約金で弟さんたちの進学資金をつくるためだったというが、もし沢村さんが慶大に進学していたら、いや、せめて京都商業を卒業していれば、三度も応召されることはなかっただろうと、父親の賢二さんは悔やみ、何度も涙を流したそうだ。

沢村の最大の功績とは?

沢村さんの実働は五年。うち、本来のピッチングを見せたのは二年間だけだった。しかし、その間に余人が一生かかっても築けないような仕事を成し遂げた。

なかでも最大の功績だと私が思うのが、プロ野球発展の礎を築いたことだ。日米野球での沢村さんの快挙によって、日本国民はあらためて野球の魅力に気づいたのではないか。沢村さんがいたからこそ、川上哲治(てつはる)さん、青田さん、藤村さん、千葉茂(しげる)さんら、のちに歴史に名を残すことになる名選手たちが、決してイメージがよいとはいえなかった「職業野球」に次々に身を投じ、彼ら見たさに球場には多くのファンが詰めかけた。私だってそうだ。「沢村さんがいなかったら、日本プロ野球の隆盛はなかった」と述べたのは、そういう意味である。いや、プロ野球自体、存続できなかったかもしれない。となれば、私の人生は果たしてどうなっていたか……。

また、沢村さんは日米野球のピッチングに驚愕した全米チームのコニー・マック監督からアメリカ行きを打診されただけでなく、その翌年に敢行された巨人のアメリカ遠征でも二十一勝八敗の成績をあげ、セントルイス・カージナルスのスカウトに差し出された契約書に署名させられそうになったこともあった（ファンにサインをねだられたと勘違いしたそうだ）。

プロ通算六十三勝二十二敗、防御率一・七四。ノーヒットノーランを記録すること三回。巨人は背番号14を永久欠番としてその功績に報い、日本野球機構（NPB）はその年の最優秀投手に「沢村賞」を贈ることで、その名を永久にとどめようとしている。

2　私は大の巨人ファンだった

戦争が終わったのは、十歳のときだった。

それまでは、いつアメリカが攻めてくるかわからないというので逃げる訓練ばかり。小学校のグラウンドは、食糧を少しでも増やすため、すべて畑に変わっていた。だから、終戦を知ったときはパアーッと太陽の光が差し込んだような気がしたものだ。

「自由に、好きなことをできるというのはいいものだなあ……」

心からそう思った。

そうした自由の象徴が野球だった。

戦時中は野球どころではなかった。その反動もあって、私は友だちと三角ベースに熱中した。道具なんてないから、古着を丸めてボールにし、バットは竹やぶから竹を切ってきて使った。捕るのはもちろん素手である。ルールは、ちょうどそのころはじまった町対抗の青年団の野球大会を見て覚えた。

終戦の翌年、一九四六年に再開したプロ野球のラジオ中継を夢中で聴いたことは先ほど述べた。住んでいたのは京都の田舎町だったから放送は雑音だらけだったが、それでも懸命にチューニングのつまみを動かして、固唾をのんで聴いていたのを昨日のことのように思い出す。町の電器屋さんに行くと、店の外に街頭テレビならぬ街頭ラジオが置いてあり、多くの人々が中継に耳を傾けていたものだ。

なかでも私を熱狂させたのは巨人・阪神戦だった。関西だったから、周りは圧倒的に阪神ファンが多かったが、私は大の巨人ファンだった。そのせいで、阪神ファンの友だちとよくケンカになったものだった。

わけても〝赤バット〟の川上哲治さんに憧れた。〝青バット〟でホームランを量産した大下弘さんと人気を二分した〝打撃の神様〟である。ラジオだからバッティングフォームはおろか、顔だって想像するしかない。似顔絵が描かれたメンコや、映画館で映画の前に上映されるスポーツニュースを食い入るように見つめていたのを思い出す。ブロマイドも一所懸命集めた。

関西で生まれ育ったにもかかわらず、どうして私は巨人が好きになったのだろう。

ひとつは、大友工さんというピッチャーの存在だ。別所毅彦さんとともに当時の巨人投手陣を支えたアンダースローである。

私の住んでいた町から三十分ほどいくと兵庫県との県境となり、兵庫県側に出石(いずし)という町（現豊岡市）がある。ある日、そこの青年団とわが町の青年団が試合をすることになった。出石のチームにいいピッチャーがいるというので、小学校のグラウンドには黒山の人だかりができていた。私もそのなかにいたのだが、見ると、軟式ではあったが、たしかにすばらしいボールを投げていた。

「すげえなあ……」

私はたいそう驚いた。そうしたら、しばらくして巨人に入ったという。それが大友さんだった。地元（といってもいいだろう）出身のピッチャーがいるので、巨人になんとなく親しみを感じ、応援しようと思ったのだろう。

だが、私が巨人を好きになったもっとも大きな理由――それは、ひと言でいえば強かったからだ。

巨人、阪神、阪急、近畿グレートリング、セネタース、ゴールドスター、パシフィック、中部日本の八球団が参加して再開したリーグ戦で、巨人は近畿に次ぐ二位。翌一九四七年は史上初のBクラス（五位）、四八年も二位に終わったものの、四九年は三原脩(おさむ)監督のもと、二位阪急に十六ゲーム差をつけて優勝。二リーグ制となった五〇年は三位に終わったが、五一年にセ・リーグを独走で制すと、日本シリーズでも南海ホークス（現福岡ソフトバンクホークス）を圧倒し、そのまま三連覇を果たす。この時期が第二次黄金時代と呼ばれるわけだが、それは私の中学から高校時代にかけてのことだったのである。

巨人に抱いていたコンプレックス

熱狂的といってもいい巨人ファンだったから、「プロ野球選手になろう」と決めたときは、できることなら巨人のユニフォームを着たいと思った。けれども、私は南海に入団した（念のためにいっておけば、当時はドラフトが施行される前、自由競争の時代だった）。

なぜか――。

私がプロ入りする前年（一九五三年）、巨人は藤尾茂（ふじおしげる）というキャッチャーを獲得した。兵庫県の鳴尾（なるお）高校で甲子園を沸かせたヒーローである。内野手のレギュラーは四人、外野手なら三人いる。しかし、キャッチャーのレギュラーはひとりだけだ。かりに私が巨人に入っても、絶対に藤尾さんには勝てないと思った。そこで巨人以外の球団のなかから二十代のキャッチャーがいないチームを探した。そうして残ったのが南海と広島カープで、私は南海のテストを受けてなんとか夢だったプロ野球選手となったのである。

三年目に一軍に上がり、レギュラーとなった私は、一九五九年の日本シリーズではじめて巨人と対戦した。このときは、伝説となった杉浦忠の四連投四連勝という超人的な活躍で南海が日本一となった。南海はそれまで四回日本シリーズに進出していたが、いずれも巨人に敗れていた。だから鶴岡一人監督や先輩選手はわんわん泣いていたのだが、私と杉浦は、あまりに簡単に勝ってしまったこともあって、「そんなにうれしいか?」とささやきあったものだった。

ところが、その後プレーイング・マネージャーのときも含めて四度巨人と戦ったが、ついに一度も勝つことができなかった。南海だけではない。パ・リーグのチームはことごとく巨人の壁に跳ね返された。

むろん、そのころの巨人はON、すなわち王貞治と長嶋茂雄を擁し、最強といっても過言ではない時代だった。だが、いくら戦力が充実していたとしても、それだけでずっと勝ち続けることができるかといえば、それほどプロの世界は甘くない。ならば、どうして巨人は勝ち続けることができたのか。逆にいえば、なぜほかのチームは巨人の一人勝ちを許してしまったのだろうか。

振り返って思うのは、われわれが巨人に対してコンプレックスを感じていたことが大きかったということだ。

白状すれば、日本シリーズで巨人と戦うとき、私はいつもあがっていた。というのも、われわれはふだん、観客もまばらな球場で試合をしていた。報道陣もろくにいなかった。それが、日本シリーズ、しかも相手が巨人ともなれば、スタンドは超満員。報道関係者もそれこそ何百人と集まってくるし、試合はテレビやラジオで生中継される。そんな、ふだんとまったく異なる環境のなかにあっては、「あがるな」というほうが無理だった。

なにしろ、長嶋や王がバッターボックスに入ってくるだけで、マスク越しに私は思ったものだ。

「かっこいいなあ……」

見上げてしまうのである。

むろん、試合がはじまれば、次第に緊張は解けていき、プレーに集中できるようになるのだが、平常心に戻るまでは時間がかかった。日本シリーズの初戦、私はよく鼻歌を歌いながら打席に向かったものだが、これも少しでもリラックスしようと努めたからだった。一種のおまじないみたいなものである。私にとって、日本シリーズはそれほど特別な場だったのだ。

対して巨人には——実際はそんなことはないのだろうが——あがっている選手などほとんどいなかった。みな堂々としていた。自信に満ちあふれ、胸を張って戦っているように見えた。その姿がまた、われわれには見下されているように感じられた。いうなれば、われわれは実際に戦う前から「巨人」という名前、ユニフォームに気圧されていたわけだ。

だが、戦績だけでいえば、南海は巨人に決してひけをとらなかったし、西鉄は日本シリーズで巨人を相手に三連覇したこともある。にもかかわらず、巨人だけが「オーラ」ともいうべきものを感じさせた。そういう「無形の力」は何に由来するものだったのか——。

「われわれが日本野球の歴史をつくる」という気概

「伝統の力」——あえて言葉にすればそうなる。

巨人を創設した正力松太郎氏が遺した「遺訓」というものがある。

巨人軍は常に強くあれ
巨人軍は常に紳士たれ
巨人軍はアメリカ野球に追いつき、そして追い越せ

かつての巨人は、この「巨人軍憲章」とも呼ばれる精神を、まさしく体現しているチームだった。

すでに述べたように、巨人は一九三四年に来日したメジャーリーグ選抜を迎え撃つべく結成された全日本チームを母体に「大日本東京野球倶楽部」として誕生した。

そして、翌年には早くも第一回のアメリカ遠征を敢行している。いわば武者修行である（余談だが、このとき世話を務めたフランク・オドール氏が「東京ジャイアンツ」というチーム名を薦めたので、正式に「東京巨人軍」という名前になったそうだ）。このときのメンバーは、市岡忠男（いちおかただお）総監督、三宅大輔（だいすけ）監督以下、沢村栄治さん、ヴィクトル・スタルヒン、水原茂（しげる）さん、苅田久徳さんら総勢十八選手。

滞在日数百二十八日、サンフランシスコからカナダ、さらにはメキシコまで六十三都市を転戦し、移動距離は二万キロに及んだ。

マネージャーとして同行した鈴木惣太郎氏によれば、それは大変な強行軍だったと

いう。鈴木氏はそのときの様子を当時の雑誌にこう記している。

「たとえば、シアトルを出発して、雪が積もっていて熊が出て来るカスケード山脈をバスで越えて、ワバト、ヤキマと一日二回の試合をして、その翌日はもと来た道を二百マイル、バスでゆられてシアトルに還り、更にそこを通り過ぎてタコマに行って辛うじて試合に間に合わせるという満州事変の挺身隊そっくりの行程です」

早朝に発つため、満足に食事もとれず、朝も昼も現地の日本人につくってもらった塩むすびをバスで食べたそうだ。当然、選手の顔には疲労が色濃く滲んだが、誰一人として不平がましいことを言う者はなかった。

なぜかといえば、「誰も彼も心を併せて遠征の目的を貫く事に邁進したから」だと鈴木氏は述べている。

おそらく、選手たちはこう考えていたのだと私は思う。

「おれたちが日本の野球の歴史をつくるのだ」

そして、少なくとも私が戦ったころまでの巨人の選手たちは、そうした気概と誇りを持って野球に取り組んでいたのではないかと感じるのである。それが、目に見えない「無形の力」となってわれわれを圧していたのではないかと……。

巨人はパイオニアだった

実際、日本における近代野球のスタイルともいうべきものは、すべて巨人が発祥といっても過言ではない。すべて巨人がアメリカから学び、真似し、さらに自分たちなりに咀嚼して改良し、日本のプロ野球に持ち込んだのだ。ブロックサインしかり、先発ローテーションしかり、ドラッグバントしかり、ヒットエンドランしかり……。

はじめてブロックサインを見たときのことを、私はいまだ鮮明に憶えている。開幕前のオープン戦のことだ。三塁コーチャーズボックスに立った水原茂監督が、しきりに胸をなでたり、帽子を触ったりしていた。

「なんだ、ユニフォームなんか気にしやがって。キザなおっさんだなあ」

ベンチから見ていたわれわれ南海の選手は笑い合ったが、その水原監督の動きこそ、一九五七年のドジャースのベロビーチ・キャンプから持ち帰ったブロックサインだった。

それを知ったときはたいそう驚いた。なにしろ、当時の南海のサインは「バンド（ベルト）を触ったらバント」「あごをしゃくったら盗塁」というきわめて単純なものだったからだ。ほかのチームだって、その程度だったはずだ。巨人だけがそういう進んだ野球を実践していた。

その後、川上哲治さんが監督になってからは、機動力や小技を重視する有名な「ドジャースの戦法」を導入し、さらに野球の近代化を推し進め（それがいかに革新的なものであったかについては、あとで詳しく述べる）、空前絶後の九連覇という偉業を達成することになる。まさしく巨人は「パイオニア」であったのだ。

そう、ある時期までの巨人の選手は、「おれたちはほかのチームより進んだ野球をしている」という意識を持って戦っていたと思う。その気持ちが選手たちに自信と誇りと優越感を植え付ける一方で、われわれには劣等感を抱かせ、実態以上に大きく感じさせる結果となった。

巨人と戦うときには、「また何か新しいことをやってくるのではないか、これまでとは違う策を考えているのではないか」といつもビクビクしていた。われわれは、そういう見えない敵とも戦わなければならなかった。

表現を変えれば、巨人は「どこそこに勝つ」ということではなく、「自分たちが日本の野球をリードしていく」ことに目標を置いていたということだ。それを自分たちの「使命」と考えていたのである。

そういう精神を巨人は球団創設以来持ち続け、実践した。アメリカからつねに最新の近代野球を学んではそれに独自の発想と解釈を加え、「巨人野球」をつくりあげ、それを受け継ぐだけでなく、高めていった。

「おれたちが日本の野球をリードしていくのだ、歴史をつくっていくのだ」

時代が変わり、監督が代わり、選手が代わっても、その精神はチームに脈々と息づき、失われることがなかった。それが「伝統」となり、ほかのチームが持ちえない「無形の力」となったのだと私は考えている。

正力松太郎氏によって蒔（ま）かれた日本プロ野球の種は、沢村栄治さんの活躍によって芽を出し、さらに巨人によって育まれ、実を結び、花開くことになったのである。

3　クビなら南海電車に飛び込みます！

私がプロ入りしたのは一九五四年のことだった。

「大金を稼いで、母親を楽にしてやりたい」

それが、私がプロ野球選手を志した理由だった。

そういう時代だった。誰もがハングリーだった。私のように、そうした状況から抜け出すための手段としてプロ野球を選んだ人間は、決して少なくなかった。

もっとも私自身は、お金をたくさん稼ぐことができるなら別に野球選手でなくてもかまわなかった。じつは、最初は流行歌手に憧れ、次は映画俳優になろうと考えた。そこで、中学校のコーラス部に入ったり、鏡の前で自分なりに演技の勉強をしたりしてみた。しかし、すぐにどちらも自分には無理だと悟った（余談だが、仲代達矢さんと対談した折、俳優になりたかったがあきらめたという話をしたら仲代さん、あのギョロ目をひんむいて「それは日本映画の損失でした」。続けていれば、「志村喬さんのようになっていただろう」とのことだった）。

そうして残ったのが野球だった。やはりこれがいちばん合っていたようで、中学二年で野球部に入ると、すぐに「四番・捕手」に抜擢（ばってき）され、三年のときには奥丹後（おくたんご）地方予選で優勝。京都府大会でも四強に入り、青年団の補強選手にもなった。自信を持った私は心に誓った。

「よし、高校でも野球をやって、将来はプロ野球選手になってやる！」

ところが、ある日のこと、母親が言った。

「義務教育を終えたら、私を進学させるだけの経済的余裕はなかったのだ。母親に懇願されては、逆らうわけにはいかない。だが、高校生だった兄が助け船を出してくれた。

「これからは高校くらい出ておかないと苦労する。高校を卒業したらおれが働くから、弟を進学させてくれ」

私と違って成績優秀だった兄は、アルバイトをしながら大学に進むつもりでいた。それをあきらめて、私を高校に進学させてくれたのである。

とはいえ、入学した京都府立峰山（みねやま）高校の野球部は、地方大会で一回戦負けが常という弱小チーム。私の在学中も二年のときに京都予選の二回戦まで進んだのが最高で、甲子園など夢のまた夢だった。実績もなく無名の私にスカウトは来ない。たまたま新聞で目にした南海のテストを受けると、幸い合格することができた。

テストで忘れられないのは、カレーライスを食べさせてもらったことだ。それまで肉というものをほとんど食べたことがなかったので、「カレーなら肉が入っているはずだ」と思って頼んだのだが、「世の中にはこんなうまいものがあるんだなあ……」と感動した。それで三杯も平らげると、マネージャーが呆(あき)れたように言った。

「よう食うやっちゃな。でも、食が細いのはこの世界では大成しない。その意味ではおまえは素質があるぞ」

仮契約となり、差し出された契約書を見ると、給料は「金　八万四千円」とある。当時、大卒初任給が一万円ほど、高卒は六千円程度だったと思う。

「すげえ！　さすがプロ野球だ。これでおふくろを楽にさせてやれるぞ」

喜んでいる私に、マネージャーが言った。

「最後まで契約書を読んだか？」

それでじっくり読んでみると、「右の金額は一年に十二回に分けて支払われる」と書いてあった。つまり、八万四千円は年俸だったのだ。月額にすると七千円。しかも、「入寮希望の選手は合宿費として三千円を差し引く」という。もちろん、テスト生に契約金などあろうはずがなく、バットやグラブも自前だった。

とはいえ、プロは実力の世界。一軍に上がればもっと稼げるはずだ──そう自分に言い聞かせ、私はプロ野球選手としての第一歩を踏み出したのだった。

誰よりも練習し、クビ宣告から一軍へ

一九五四年一月、二軍の合宿所に入寮した私にあてがわれたのは、前年まで物置だったという、窓もない三畳間だった。食事は、丼飯は食べ放題だったが、おかずは味噌汁のほかには大皿に盛られた漬物だけだった。

ユニフォームは一軍のお下がりである。背番号60の私に与えられたのは、なんと鶴岡（当時は山本）一人監督のもので、監督の背番号30の3を6に付け替えてあった。当然、サイズも合っておらず、私にはきつすぎたのでマネージャーに不平を言うと、「おまえの身体を合わせろ」。

練習はきつかった。最初に二時間ぶっ続けで腹筋や屈伸。その後ダッシュをしてからようやくキャッチボールがはじまる。あまりにきついので、練習中にぶっ倒れる選手が続出した。懸命に食らいついていった私も、「この人が倒れるまでは」と密かに

目標にしていた先輩がダウンしたのを見たとたん、目の前が真っ暗になり、気を失った。練習がはじまって三日目のことだった。「気合だ、根性だ」という精神野球が全盛の時代だった。

それはともかく、ずっと不思議に感じていたことがあった。テストに受かったのは七人だったのだが、四人がキャッチャー、しかも地方出身者だったのだ。

「どうして田舎者の捕手ばかり獲ったんでしょう?」

ある日、先輩に訊ねてみた。すると、先輩は言いにくそうに答えた。

「おまえらは〝カベ〟として採用されたんだよ」

カベとはすなわちブルペンキャッチャーのこと。要はピッチャーの練習台である。そんな地味な仕事は都会の子は嫌がる。それで、純朴で粘り強い地方出身者が選ばれたというわけだ。カベ要員からは、レギュラーはおろか、一軍に上がった者すらいないということだった。

ショックだった。いっそ辞めて田舎に帰ろうかと考えた。しかし、確率は極めて低いとはいえ、力をつければ一軍に上がれる可能性はあるはずだ。とにかく三年間がんばってやってみよう。それでダメならあきらめて田舎に帰ればいい――そのときはそう思い直した。

しかし、シーズンオフに私を待っていたのは厳しい現実だった。なんとクビを言い渡されたのである。

プロ入りするとき、「わが町初のプロ野球選手」ということで、まるで出征兵士のような見送りを受けた。たった一年でおめおめと帰るわけにはいかない。なにより、母親の悲しそうな顔が浮かんできた。

「母親を悲しませるわけにはいかないんです。クビなら南海電車に飛び込みます！給料はいりませんから、もう一年いさせてください」

必死に食い下がった結果、なんとか解雇だけは免れた。

けれども、このままでは一年後、また同じ憂き目を見るのは確実だ。どうにかして認められなければならない。一軍に上がるにはどうすればいいのか、ライバルに勝つためには何をしなければならないのか——私は考えた。

「一日二十四時間をいかに使うかだ」

時間は誰にも平等に与えられている。しかし、その使い方によって結果は大きく変わってくるはずだ。

それからというもの、練習が終わってみんなが休んでいるときも私はひとり、バットを振った。肩を壊すから野球選手は重いものを持ってはいけないと言われた時代だったが、砂を詰めた醬油の一升瓶をダンベル代わりに筋トレをし、パワーをつけようとした。

その甲斐あって、二年目は二軍の全試合に出場できた。秋季練習の後半からはどんどん打球が飛ぶようになり、楽しくてしかたがなかった。眠るとコツを忘れてしまいそうなので、寝ないでいようと思ったほどだった。

そうして三年目の春、一軍が行ったハワイキャンプにカベ要員ではあったが抜擢され、地元チームとの試合で活躍したのを鶴岡監督に認められたことで（レギュラー捕手の松井淳さんが肩を痛めていたうえ、控え選手も海外キャンプで遊び過ぎ、私に出番が回ってきたのだ）、一軍への切符をつかむことができたのである。

ホームラン王獲得後に襲った突然の不振

当時の南海は、飯田徳治さん、蔭山和夫さん、木塚忠助さん、岡本伊三美さんが形成する〝百万ドルの内野陣〟と呼ばれた守備と、毎年のようにチーム二百盗塁を記録する機動力を武器にしていた。しかし、日本シリーズでは強力な打線と投手陣を擁する巨人に歯が立たず、パ・リーグでも、一番から強打者を並べる、三原脩監督率いる西鉄の〝流線型打線〟が猛威を振るっていた。それで鶴岡監督は考えたのだろう。

「これからはパワーの時代だ」

私が抜擢されたのも、それが理由だと思う。身長百七十五センチの私は当時としては大柄だったし、正捕手の松井さんはバッティングに難があった。

開幕から松井さんと交互に起用された私は、初ヒットが出るまで三十一打席を要し、一時は二軍落ちも経験したものの、夏場過ぎに一軍に戻されると後半戦だけでホームラン六本を記録。翌年は三十本を打って、初のタイトルとなるホームラン王を獲得した。

「これでプロとしてやっていける」

そう思った矢先だった。突然、打てなくなった。その後二年間、ホームランは大幅に減り、打率も二割五、六分程度をさまよった。危機感を覚え、以前にも増して練習に打ち込んだが、増えたのは三振だけだった。

当時の南海は、監督とヘッドコーチがいるだけで、打撃コーチもピッチングコーチもいなかった。一度、配球について鶴岡監督に訊ねたことがあったが、返ってきたのは「自分で勉強せえ！」のひと言。バッティングについても「ボールをよく見て、スコンと打てばええのや」。どうすればいいのか、自分で考えるしかなかった。

成績が落ちた原因は、カーブを打てないことにあった。変化球にいかに対応するか――これはすべてのバッターに共通するテーマである。あらかじめ球種とコースがわかっていれば、カーブだろうがスライダーだろうがシュートであろうが、私はそれほど苦しむことはなかった。しかし、ストレートを待っているときにカーブを投げられたら、お手上げだった。長嶋茂雄やイチローのような天才なら、そういうときでも身体が咄嗟に反応する。しかし、不器用な私にそんな真似はできなかった。だからヤマを張っていたのだが、ホームラン王になったことで、相手は私を研究し、裏をかいてくるようになった。

しかも、当時はヤマを張ることはプロとして恥ずべきこととされていた。ヤマがはずれるとど真ん中のストレートを見逃したり、ワンバウンドのボールを空振りしたりする。あまりに無様なので、ベンチに戻ると鶴岡監督によく怒鳴られたものだ。

しかし、私は技術的な限界に突き当たったのだ。もはやどれだけバットを振ろうと、これ以上打てるようにはならない。となれば、残された方法はただひとつ。「頭を使う」しかない。私は思った。

「ヤマ勘に頼るからヤマなのであって、根拠があるヤマなら、それは〝読み〟といえるのではないか」

ＩＤ野球の萌芽

当時の南海には、のちに〝日本初のスコアラー〟と呼ばれることになった新聞記者出身の尾張久次さんという人がいた。そこで、相手ピッチャーが私に投げてくる球種とコースを尾張さんに毎打席チェックしてもらい、試合後に自分で整理した。すると、興味深い事実がいろいろ浮かび上がってきた。

たとえば、ホームランが多い私に対しては、「ツーボールになった場合、走者がいなければストレートが多いが、得点圏にランナーを置いたときはほとんどがスライダー」「ツーボールもしくはワン（ストライク）スリー（ボール）になったらインコースには百パーセント投げてこない」というふうに……。そういうデータ（当時はそんな言葉はなく、「傾向」と呼んでいた）を頭に入れておけば、それだけ狙い球を絞りやすくなるわけだ。

「ヤマ」を「読み」に変えるために、もうひとつ私が目をつけたのが「ピッチャーのクセ」を盗むことだった。きっかけは、メジャーリーグ最後の四割打者であるテッド・ウィリアムズの打撃理論について書いた本に出会ったことだ。そのなかでウィリアムズは、「私はピッチャーが次にどんなボールを投げてくるか、七、八割はわかる」と語り、こう続けていた。

「ピッチャーは振りかぶるときには、ストレートか変化球か百パーセント決めている。それは小さな変化となって現れる」

――「小さな変化とは、クセのことではないか?」。ピンときた私は、さっそく味方ピッチャーの球を受けながら彼らのフォームを観察した。すると、どのピッチャーも球種によって握り方やフォームが微妙に違っている。意を強くした私は、ほぼすべての対戦ピッチャーのフォームを十六ミリフィルムで撮影し、クセを探した。

いまはどんなピッチャーでもグラブでボールの握りを隠したり、振りかぶらずに投げたりしている。しかし、そのころはみなワインドアップで、握りも丸見えだった。注意深く観察すれば、ほとんどのピッチャーのクセを見つけることができたのだ。

データを集めて配球を分析し、さらにピッチャーのクセを見抜く――当時、そんなことをしているバッターはいなかった。そこに気づいたことで、私は常時、打率三割前後をマークできるようになり、ホームラン王争いにも名を連ねることができるようになったのだ。天性の不足を知恵と創意工夫で補う、のちに私の代名詞となる「ID野球」の萌芽は、まさしくここにあった。

むろん、キャッチャーとしてマスクをかぶるときにもデータを活用した。今度は対戦ピッチャーでなくバッターの得意コース、苦手コースを調べるとともにクセや特徴を割り出し、配球の組み立てに活かしたのである。

だがしかし――そのころセ・リーグでは、ふたりのスーパースターを得た巨人が、川上哲治監督のもとでさらなる高みに達しようとしていたのだった。

4 ONが打つなら、おれも打つ

いまでは想像できないかもしれないが、かつてのプロ野球にはどこか後ろ暗い雰囲気が漂っていた。「職業野球」というスタート当初の呼び名には、どことなく侮蔑的な響きがあった。当時の花はなんといっても東京六大学野球で、アマチュアリズム至上主義とでもいうのだろうか、スポーツをして対価を得ることは「卑しいこと」というイメージがあったのである。

そのイメージが払拭され、国民的スポーツと呼ばれるまでになったのは、ひとりのスーパースターの登場がきっかけだった。そう、長嶋茂雄である。

それはもう、すごい人気だった。一九五七年十二月七日、入団発表に臨む長嶋の前には、それまでは二、三本あればいいほうだったテレビやラジオ用のマイクがズラリと並び、カメラのフラッシュが焚かれるたびに後ろの金屏風がまばゆく光った。その前で長嶋は、背番号3が縫い取られたジャイアンツのユニフォームを身にまとい、ポーズをとっていた。

その光景を見ながら、私は思った。

「長嶋が着ているユニフォームは、本来ならおれと同じ南海ホークスのものだったんだな……」

じつは、長嶋は南海に入団することがほぼ確定していた。現に私は、南海の先輩だった大沢啓二（当時は昌芳）さんから、こう言われていたのである。

「長嶋と杉浦（忠）が来るからよろしくな」

杉浦とは、長嶋とともに立教大学の黄金時代を築いたエースのこと。立大出身の大沢さんは、鶴岡一人監督の命を受け、早くから長嶋と杉浦の交渉役を務めていた。大学の運動部では、先輩の命令は絶対だ。大沢さんに呼び出され、「南海に来い」と言われたふたりは、「わかりました」と即答したという。事実、杉浦はすんなり南海に入団している。にもかかわらず、長嶋はどうして土壇場で巨人入りすることになったのか――。

ひと言でいえば、「三十万円」が原因だった。

南海入りに同意した長嶋に対して、南海は在学中から月二万円の「小遣い」を渡していた。いまなら大問題だが、当時はよく行われていた慣習で、大沢さんがその運び役を務めていたのを私は知っている。ところが、南海は渡し済みだった「小遣い」、トータルで三十万円を契約金から差し引くと長嶋に告げた。大卒公務員の初任給がおよそ一万円の時代。三十万は少額とはいえないが、長嶋はいっぺんで南海に幻滅し、その情報を察知して猛アタックをかけてきた巨人に入団したというわけだ。契約金は当時最高の千八百万円（じつは南海より安かった）。長嶋は大沢さんに土下座して謝ったという。

〝燃える男〟の本領を発揮した天覧ホーマー

それはさておき、もし長嶋が巨人に入っていなかったら、その後のプロ野球はどうなっていただろうか――。もしかしたら、いまのような人気は得られていなかったかもしれない。

長嶋がデビュー戦で金田正一さんから四打席連続三振を喫したのはご存じだろう。南海の試合中だった私はもちろん見ていない。「見逃しの三振だろう」と思った。というのは、金田さんのカーブはバッターの顔のあたりから鋭く落ちる。バッターの本能として、慣れていなければバットを振るどころではない。そんなカーブを見せられたあとに百五十キロはあったといわれるストレートを投げられれば、新人ではまず手が出ない。

ところが、中継をラジオで聴いていたマネージャーに訊ねると、「全部空振りの三振だった」という。私は背筋がゾクッとした。そして思った。

「これは本物だ」

事実、長嶋は一年目から二十九本塁打、九十二打点でホームラン王と打点王の二冠を獲得。打率も三割五厘で二位につけ、文句なしの新人王に輝いたわけだが、その本領がいかんなく発揮されたのはやはり、翌一九五九年六月二十五日の天覧試合であったと思う。

野球をご存じなかった昭和天皇の観戦が実現したのは、宮中から外を眺めていたとき、水道橋(すいどうばし)方面の空が明るいのに気づかれ、「あれは何か」とお訊ねになったという話を巨人の創設者・正力松太郎氏が聞いたことがきっかけだったと伝えられている。が、それ以前からプロ野球側が宮内庁にアプローチしていたという話もある。

先述したように、当時のプロ野球は庶民の人気を博していたとはいえ、必ずしもイメージはよくなかった。それを一掃し、大相撲のような「国技」として認識してもらうには、「天覧」がうってつけだったのだ。宮内庁にとっても、庶民が夢中になっているプロ野球を観客と一緒になってご覧になる天皇皇后両陛下の姿を見せることは、「開かれた皇室」をアピールするいい機会だとの思惑もあったようだ。

いずれにせよ、初の天覧試合は後楽園球場での巨人・阪神戦に決まった。巨人・水原、阪神・カイザー田中両監督以下、両チームの選手がホームベースをはさんで整列し、島秀之助球審が「両陛下に対し最敬礼！」との号令をかけて、試合は午後七時にはじまった。

先発は巨人が藤田元司さん、阪神は小山正明さん。試合は三回に阪神が先制するも、五回に巨人が長嶋と坂崎一彦の連続ホームランで逆転。六回に阪神が再逆転すれば巨人がまた七回に追いつくというシーソーゲームとなり、四対四で迎えた八回表、阪神が一死二、三塁と絶好の勝ち越しのチャンスをつかむ。が、広岡達朗さんが仕掛けたピックオフプレーにひっかかり、無得点。こうして劇的なフィナーレが生まれる舞台が調った。

九回裏、先頭打者として打席に入ったのは長嶋だった。マウンドには終生のライバルとなる村山実。ツーストライク・ツーボールからの五球目だった。村山渾身のストレートを長嶋が弾き返す。カクテル光線に照らされて舞い上がった打球は、左翼ポール寄りのスタンドに吸い込まれた。サヨナラホームラン。天皇皇后両陛下は午後九時十五分に退席なさることになっていた。試合が決したとき、スコアボードの時計は九時十二分を指していた。

じつは、この試合の前まで長嶋は深刻なスランプにあえいでいた。二十日間ほどまったく打てなかった。前日もノーヒット。にもかかわらず、大舞台で最高のパフォーマンスを見せるのが長嶋という男なのである。チャンスであればあるほど、舞台が大きければ大きいほど、長嶋は燃えた。力を発揮した。だからこそ、ファンは長嶋に熱狂したのである。

一本足で開花した恐るべき才能

ところで、この天覧試合で、二対四と巨人が逆転されて迎えた七回裏、同点ホームランを放った新人選手がいた。早稲田実業高校から入団した王貞治である。

王は選抜高校野球大会の優勝投手だった。が、キャンプ早々にピッチャー失格の烙印を押され、バッターに転向した。私から見てもピッチャーとしては通用しないと思われた。プロで活躍するには、球が速いとか鋭いカーブを投げるとか、何か「これ」という武器を持っていなければならない。残念ながら王にはそれがなかった。その代わり、バッターとしては非凡なものを感じさせた。

一流と二流のバッターの分水嶺となるのは、失投を確実に捉えることができるかどうかである。

オープン戦ではじめて対戦したときのこと。王は杉浦に次ぐ南海のエースだった皆川睦男の失投を見逃さず、すかさずバックスクリーンに持っていった。「たいしたものだな」と感心したものだ。

実際、王はピッチャーとして入団した新人にもかかわらず開幕スタメンに名を連ねた。しかし、初打席から二十六打席ノーヒット。二十七打席目に出た初ヒットがホームランというのがその後を暗示させるものの、目立った活躍は天覧試合のホームランくらいで、一年目は打率一割六分一厘、七本塁打に終わった。

その恐るべき潜在能力が花開くのは、三年目のオフに荒川博コーチのもとで一本足打法に開眼してからのことだった。

四年目の一九六二年に三十八本塁打、八十五打点で二冠。翌年は打率三割五厘、四十本塁打をマーク。私にとって悔しかったのは一九六四年だ。前年、私は五十二本のホームランを打って、小鶴誠さん（松竹ロビンス）の年間最多記録（五十一本）を十三年ぶりに更新した。ところが、翌年に王は五十五本を放ち、あっさり抜いてしまったのである。「あと十年は破られないはずだ」と確信していただけに、あらためて自分の星回りの悪さを嘆いたものだった。

だが、のちに「それもしかたのないことだったのかな」と感じさせる出来事があった。荒川さんに頼んで王の練習を見学させてもらったときのことである。王は、天井からぶら下げた紙を真剣で真っ二つに斬る練習をしていた。その姿を見て、私は驚愕した。

「すごい……」

それ以外の言葉が思い浮かばなかった。一歩間違えば、自分の身を斬ることになる。ひと振りひと振りからすさまじいほどの殺気が発せられていた。とても気軽に声などかけられる雰囲気ではなかった。

練習量においては私も自信があった。しかし、王の素振りに較（くら）べれば、私のそれなんて遊びも同然だった。それほどの練習を王は毎日行っていたのである。

「まいった。こいつには歯が立たん……」

脱帽すると同時に、自分の甘っちょろさが恥ずかしくなったのを憶えている。

ONは「チームの鑑」だった

王と長嶋、すなわち〝ON〟は、一九六二年から十七年間打点王、一九六一年から十四年間ホームラン王のタイトルをふたりで独占した。首位打者も、王が入団した一九五九年から長嶋が引退する一九七四年まで十六年間のうち、十一年はふたりのどちらかが獲得している。

「中心なき組織は機能しない」

私はよく口にするが、このふたりを中心に、巨人は一九六五年から空前絶後の九年連続日本一を達成した。

ただし、私のいう「中心」とは、いい成績をあげればそれでいいというものではない。「チームの鑑(かがみ)」、すなわちグラウンドのなかでも外でもほかの選手の「手本」とならなければいけない。なぜなら、中心選手の意識と言動はチーム全体を大きく左右するからだ。中心選手が率先して範(はん)を垂れれば、ほかの選手も「自分はもっとやらなければならない」と気を引き締める。逆に、ちゃらんぽらんだったり、自分のことしか考えていなかったりすれば、周りも「それでいい」と考えてしまうのだ。

ONはまさしく「鑑」だった。こんなことがあった。あるとき、銀座で王と出くわした。合流して楽しく飲んでいると、夜九時過ぎだったろうか、王が「ノムさん、申し訳ないけど、お先に失礼します」と耳打ちする。「荒川さんを待たせている」とのことだった。これから練習するというのである。「めったにないチャンスなんだし、一日くらい休んだっていいじゃない」と引き留めたが、「それはできません」と王は帰っていった。

天才と称される長嶋だって、野球に取り組む姿勢には鬼気迫るものがあった。

「みんな、あなたのことを『天才』というけれども、自分でもそう思っているのか」

私は直接長嶋に訊ねたことがある。名球会の会合に私があまり出席しないので（引退してすぐのことで、講演依頼が殺到したためだった）、呼び出されて説教されたときのことだ。例によって彼の話は何を言いたいのかよくわからなかったのだが、この問いに対する答えだけははっきり憶えている。長嶋はこう言った。

「いや、そうは思わない。世間では『天才』というからそのふりをしているけれど、自分は人から見えないところで努力しているんだ」

巨人から南海にトレードでやってきた選手が私にこう言ったことがある。

「長嶋さんと王さんは練習でもいっさい手を抜かず、真剣だった。ONがあれだけやるのだから、僕たちは彼ら以上にやらなければならないと思いました」

しかも、ONはめったに休まなかった。公式戦はもちろんのこと、オープン戦であっても出場したし、日米野球もほぼフル出場だった。そのころの日米野球は二十試合近く行われた。同情した私は長嶋に言った。

「大変だね、オフになっても休めなくて」

すると、長嶋は答えた。

「ノムさん、おれは休もうなんて思ってないし、休むわけにはいかないんだよ。だって客はおれたちを見に来ているんだから、これは義務なんだ」

ONがプロ野球を国民的スポーツにした

「もはや戦後ではない」。経済白書がそううたったのは一九五六年のこと。長嶋が巨人入りしたのはその二年後、王は三年後だった。新幹線が開通し、東京オリンピックが開催されたのが一九六四年。その翌年から巨人のV9がスタートした。

高度成長期という、日本にいちばん勢いがあった時代に巨人は常勝を続け、その中心にONがいた。ある意味、ONは日本の象徴だった。人々は巨人に、ONに、日本の姿を重ね合わせ、期待し、夢を託した。ONもそれに応え、ONと巨人の人気は相乗的に高まっていった。

　この時代はまた、メディアが大きく進歩した時代でもあった。ONが揃い踏みし、天覧試合が開催された一九五九年は、当時の天皇皇后両陛下ご成婚の年。ご成婚パレードを見るためにテレビが飛躍的に普及し、ONの姿は受像機を通して全国に届けられるようになった。かつて「職業野球」と蔑まれたプロ野球は、ONの活躍とともに女性や子どもも楽しめるものとなり、真の「ナショナル・パスタイム」、国民的娯楽となっていくのである。のちに百六回記録されることになるONのアベックホームラン第一号が、この天覧試合で生まれたというのは、まことに象徴的だったと言うしかない。

　ONはプロ野球全体のレベルも引き上げた。ONを倒すために各チームのエースは全身全霊を傾けて向かっていった。ONもまた、これを全力でねじ伏せ、弾き返そうとした。その切磋琢磨がおたがいを成長させた。

　リーグは違ったが、私もそのひとりだ。私は「記憶」では長嶋にまったく敵わず、「記録」でも王の後塵を拝することになった。「人気」はいわずもがな。私はふたりの引き立て役だった。同時代に選手生活を送ったことは、「つくづくついてない」と苦笑するしかない。が、彼らへの対抗心がエネルギーになったのも事実である。

「ONが打つなら、おれも打つ」

その気持ちが私を奮い立たせた。ふたりの存在が私の力を最大限に引き出したのである。

そして、こうしたONとライバルたちの力の限りを尽くした戦いが幾多の名勝負とドラマを生み、人々を魅了することになった。そう考えていくと、長嶋の巨人入りは「野球の神様」の思し召し(おぼしめ)だったのかもしれない。

5 『ドジャースの戦法』と円城寺事件

水原茂さんのあとを受けて、川上哲治さんが巨人の監督に就任した一九六一年は、池田勇人(はやと)内閣が掲げた「所得倍増計画」の一年目だった。日本の高度成長と軌を一にするかのように、川上巨人は、その後九年連続日本一という空前絶後の偉業を達成することになるのだが、川上さんが監督になったときの巨人は、戦力的には決して恵まれていたわけではなかった。

前年は、優勝した大洋ホエールズ（現横浜ＤｅＮＡベイスターズ）に四・五ゲーム差をつけられての二位。リーグ六連覇を逃していた。なにしろ、三割を打ったのは長嶋茂雄だけ。ホームランも王貞治の十七本が最多で、その王にしても「三振王」と呼ばれるほど安定感がないバッターだった(まだ一本足打法を編み出す前のことである)。

投手陣も、エースの藤田元司さんは盛りを過ぎ、二十九勝をあげて新人王を獲得した堀本律雄(りつお)さんの台頭はあったものの、ほかに二桁勝利をあげたのは伊藤芳明(よしあき)さんのみ。チーム打率は十二球団中ワースト、チーム防御率もリーグ五位と、とても優勝を狙えるチーム状態ではなかったのだ。

「この戦力でどうやって勝てばいいのか……」

思案していた川上さんが着目したのが、ブルックリン（現ロサンゼルス）・ドジャースの春季キャンプにおける訓練係を務めていたアル・キャンパニスという人物が著した『ドジャースの戦法』という野球戦術書だった。

そのころのドジャースも、巨人同様、豊富な戦力を擁していたわけではなかった。とくに打線はリーグ最低といってもよかった。にもかかわらず、毎年のようにナ・リーグの覇権を争い、一九五五年と一九五九年にはワールド・シリーズをも制していた。その秘密を解くカギは〝ドジャースの戦法〟と呼ばれた独自の戦い方にあった。川上さんはそこに目をつけたのである。

革新的だった「ドジャースの戦法」

それでは、「ドジャースの戦法」とはいかなるものか——。ひと言でいえば、バントやヒットエンドランを用いて着実に点を取り、チームプレーを駆使した守備で守り切る野球のことだ。いまでいう、「スモール・ベースボール」といっていいだろう。
戦術書『ドジャースの戦法』は「守備編」「攻撃編」「指揮編」の三部構成で、ポジションごとにすべきこと、バッティングにおける注意点、バントや走塁の仕方、さらにはメンタルやケガの防止法まで、あらゆることに対して微に入り細を穿つ説明がなされている。なかには「下着はいつも清潔にしておかねばならない」という項目もある。身体に傷があったときに、不潔な下着から菌が入って大事に至るのを避けるためである。

ピッチャーを含めた守りを重視するのがドジャースの戦法の特徴であるが、もっとも象徴的なのがバントシフトだろう。たとえばランナーを一塁に置いた状況でバッターがバントの構えを見せた場合、当時はサードとピッチャーがダッシュし、ファーストは一塁ベースについているのが普通だった。確実にバッターランナーを一塁でアウトにすればそれでよしとされていたのである。

しかし、ドジャースは違った。サードとピッチャーだけでなく、ファーストもダッシュし、空いた一塁ベースはセカンドがカバー、ショートは二塁ベースに入る。誰がバントを処理し、どこに送球するかはキャッチャーが指示し、ライトは一塁の、センターとレフトは二塁のカバーに回る。つまり、ひとつのプレーに対して全員が動くのである。ここにドジャースの戦法の革新性があった。

攻撃においても、たとえば一番バッターはなにより塁に出ることが優先され、そのためにゴロを打つことが求められた。ボールを転がせば、たとえクリーンヒットにならなくても内野安打やエラーが生まれる可能性があるからだ。そして、塁に出ればしきりに盗塁する素振りを見せてバッテリーをゆさぶるとともに一塁手をベースに張り付ける。そうすれば、一、二塁間が空いて、ヒットが生まれる確率が高まるというわけである。

こうしたことは、いまではあたりまえ。少年野球だってやっている。しかし、当時きちんと選手に実践させているチームは、少なくとも日本にはなかった。

じつは、『ドジャースの戦法』は日本でも一九五七年に出版されていた。川上さんもコーチ時代に読んだが、そのときはそれほど印象に残らなかったという。

当時の日本の野球は、極端にいえば、「四番が打てば勝つ、エースが打たれれば負ける」というもの。どのチームも選手個人の力に頼る野球をしていて、それだけに「打てばいいだろう」「抑えれば文句はないだろう」という自分勝手な選手が多かった。川上さんもそういう選手のひとりだった。というより、その典型だった。青田昇さんによれば、川上さんはこう話していたという。

「フォア・ザ・チーム、そんなものは必要ない。おれは三本に一本はヒットを打てる。それをチームのためにどう生かすかは監督次第。おれの知ったことではない」

不動の四番バッターは、守備でも〝不動〟の一塁手だった。ベースに張り付いたまま、動かなかったのだ。ワンバウンドの送球は捕りにいこうとすらしなかった。青田さんは川上さんについて「個人主義の権化といえる人間だった」とまで話していたほどだ。

しかし、監督になった年にフロリダ州はベロビーチでドジャースと合同キャンプを張ることになり、チームを指揮する立場から再読したところ、その内容にあらためて衝撃を受け、同時に自分自身のふるまいを恥じたそうだ。そして、本を選手たちにも配り、ベロビーチではキャンパニス本人からも直々に指導を受けながら、ドジャースの戦法を徹底的に学んだ。選手のなかには、突然チームプレーの必要性を説くようになった川上さんに反発を覚える者もいたが、ベロビーチでドジャースの選手が実際にプレーしているのを見たとたん、心をあらためたという。

「監督の言っていたことは本当だった。この監督についていけば勝たせてくれる」

一か月以上にわたるベロビーチ・キャンプを経て迎えたシーズン。巨人は序盤こそ投打がかみあわなかったものの、オールスター前に首位に浮上。最後は一ゲーム差で中日を振り切り、リーグ優勝を達成した。二十勝投手は当時としてはめずらしくゼロ。長嶋が首位打者を獲得したが、チーム打率二割二分六厘五毛はリーグ最低。それでも総得点は最高だった。効率よく得点し、失点を最少限に抑えて守り勝つ、ドジャースの戦法が機能しての優勝だった。

日本シリーズで南海と激突

その巨人と日本シリーズで対戦することになったのは、私のいた南海だった。いま振り返れば、このシリーズはその後のプロ野球の流れを変えるとともに、巨人と南海をはじめとするパ・リーグ勢の歩みを分ける契機となったように思う。

じつは、一九五五年以降の巨人はセ・リーグでは五連覇したものの、日本シリーズでは一九五五年以外一度も勝てないでいた。一九五六〜五八年は西鉄に三連敗。一九五九年も南海のエース杉浦忠の前に一矢も報いることができなかった。むしろパ・リーグがセ・リーグを圧倒していたのである。

しかし、この一九六一年のシリーズをきっかけとして、巨人とパ・リーグ勢の立場は逆転する。そして、その命運を分けるカギとなったのが、巨人の二勝一敗で迎えた後楽園球場での第四戦であった。

その第四戦は九回表二死まで巨人が二対一とリードしていたが、広瀬叔功（よしのり）のツーランが飛び出し、南海が逆転。その裏、巨人が同点のランナーを出すと、鶴岡一人監督は、初戦で完封勝利を飾ったジョー・スタンカをリリーフに送る。スタンカは後続ふたりを打ち取り、次打者の打球もファーストへの凡フライ。われわれは勝利を確信した。ところが、この何でもないフライをファーストがまさかの落球。さらに続く長嶋のゴロをサードがファンブルし、満塁としてしまったのだ。

それでも気を取り直したスタンカは、次のバッター、エンディ宮本（敏雄（としお））さんをツーストライク・ワンボールと追い込んだ。ここで私が出したサインはスタンカの勝負球、フォークボール。真ん中やや外寄りのフォークがストンと落ちる。宮本さんは見送った。

「よし、三振だ！」

キャッチした私は立ち上がり、スタンカは両手をあげた。しかし、円城寺満（えんじょうじみつる）球審の判定は「ボール」。

「ストライクやないか！」

私は思わず叫んだ。スタンカは顔を真っ赤にして激昂（げきこう）し、ベンチからは鶴岡監督が飛び出し、猛烈に抗議した。しかし、円城寺球審は「ふつうならストライクだが、風があったので沈んだ。それでボールと判断した」と意味不明の説明をし、判定が覆ることはなかった。

スタンカは明らかに気落ちしていた。力のない棒球(ぼうだま)を宮本さんに一、二塁間に運ばれ、南海は土壇場で逆転負けを喫した。そして、シリーズをも落とす結果となったのである。

精神野球から近代野球へ

円城寺　あれがボールか　秋の空

誰が詠んだか知らないが、そういう川柳(?)が残っている。私自身、絶対にストライクだったと確信している。

シリーズ前、セ・リーグの関係者にこういわれた。

「巨人と戦うときは、敵は十人だと思え」

つまり、「〝ここ〟という場面では審判が巨人の味方をするから気をつけろ」という意味だ。円城寺球審はセ・リーグの審判だった。

「どうして巨人に有利な判定が多いんだ？」

後年、ある審判に訊ねたことがある。審判は答えた。

「意識したことはないけれど、プロ野球が巨人を中心に回っているのは事実。潜在的に〝がんばれ巨人〟という意識があるのかもしれないですね」

ただ、いま思えば、このとき南海は負けるべくして負けたのだという気がしないでもない。

南海の鶴岡監督は、精神野球の塊のような人だった。

「気合だ！　身体でぶつかっていけ！」

ことあるごとにそう言った。ミーティングすらめったにやらなかった。当然、チームとして対戦チームの情報を集め、分析・研究することもほとんどなかった。この日本シリーズでも、巨人がどんな野球をしてくるのか、われわれはわかっていなかったのである。

たしかに西鉄は三年間、巨人を寄せつけなかった。南海も前回シリーズは四連勝で巨人に圧勝した。けれども、西鉄の勝利は稲尾和久や中西太さんや豊田泰光さん、南海の勝利は四連投した杉浦という、個々の超人的な活躍に依るところが大きかった。

対して巨人は、こうした個人の力量だけに頼らない、チーム全体で戦う野球をすでに実践しつつあった。九つのポジションと打順のそれぞれに適った人材を配す、適材適所のチームをつくりあげつつあった。そういうチームが日本一になったという事実は、日本のプロ野球が近代化への道を歩みはじめたことを象徴することだったのだと、いまにして思うのだ。その意味で、精神野球から抜け切れない南海が負けたのは、ある意味、必然だったといわざるをえないのである。

事実、南海は一九六四年には阪神を破って日本一になったものの、翌六五年と六六年の日本シリーズはいずれも巨人に跳ね返され、私が選手兼任監督を務めた一九七三年も苦杯をなめさせられた（奇しくも六五年はV9がスタートした年であり、七三年は最後の年だった）。巨人が常勝を続け、名実ともに球界の盟主となっていく一方で、われわれパ・リーグ勢は日陰の身に追いやられることになったのである。

V9巨人が私の手本だった

「あのベロビーチ・キャンプがすべてだった」

V9時代のホームベースを守り続けた森祇晶（当時は昌彦）はのちにそう語ってい

る。このキャンプで吸収した戦術、戦法が九連覇の骨格となったのは間違いない。

ただし、それだけで勝ち続けることはできない。どんなにドジャースの戦法が斬新であったとしても、相手に研究され、真似されてしまえばアドバンテージは失われてしまう。勝ち続けるためには、それを徹底的に血肉化し、進化させていくと同時に、そこにつねに新しいものを付け加えていかなければならない。川上巨人は、ドジャースの戦法を骨格として、毎年のように新たな要素を加え、磨いていった。

たとえば、ドジャースの戦法をさらに突き詰め、情報面も含めた戦略を強化するために牧野茂（しげる）さんを、眠っていた王の才能を引き出すために荒川博さんを、さらには当時としては画期的なトレーニングとコンディションづくりの担当として鈴木章介（しょうすけ）さんをコーチとして招聘（しょうへい）した。三人はいずれも巨人出身者ではない。いわば外様（とざま）である。鈴木コーチにいたっては陸上の十種競技の選手。野球経験すらなかった。

あるいは、ピッチャーとして入団してきた柴田勲（いさお）の才能を活かすべくスイッチヒッターに転向させ、宮田征典（ゆきのり）をリリーフ専門、いまでいうクローザーとして起用した。スイッチヒッターもクローザーも、これが日本初といっても過言ではない。

スイッチヒッターはいまでは少しもめずらしくなっているし、クローザーを置かないチームはもはや存在しないどころか、その優劣がチームの成績を大きく左右するほどになっている。

こうしたことが、以前にも述べたように、巨人の選手たちに「おれたちはほかのチームより進んだ野球をやっている」という優位感を植えつけ、われわれにコンプレックスを抱かせることになった。

そしてもうひとつ——これが非常に重要なことであるのだが——選手の人間教育に力を入れたのも、プロ野球では巨人が最初ではないか。

森に聞いたところでは、ミーティングでも川上さんは、野球の話は牧野さんをはじめとするコーチ陣に任せ、自らはひたすら人としてのあり方を説いたという。

とりわけ感謝の心や礼儀、マナーを重視した。トイレのスリッパの脱ぎ方まで細かく注意したそうだ。あとに使う人のことを考え、「きちんと揃えて脱げ」と命じたという。そうした周囲に対する目配り、気配りがチームワークにつながっていくからである。〝ON〟であろうと、いっさい特別扱いはしなかった。

川上さんはこう語っている。

「プロの選手として働ける時間は短い。ほかの社会に入っても、さすがはジャイアンツの選手たちと言われるように、バカにされない人間にしておきたかった」

財界の有力者らと食事をしたり、高僧の講演を聞かせたりして、選手の見聞を広めようと努めたのも、こうした考えからだったのだろう。

ほかのチームの先を行く戦略・戦術に加え、こうした人間教育があったからこそ、巨人の選手たちは日本一になったからといってそれで満足せず、さらなる高みを目指そうとした。それが九連覇という空前絶後の記録として結実したのだと私は考えている。

川上野球は「石橋を叩いて渡るよう」と形容され、おもしろみに欠けるといわれた。けれども、川上さんが監督になった年の巨人の観客動員数は約百六十万人。それが、退任する一九七四年には二百六十万人近くまで増えた。ONというスーパースターの存在が大きかったのは事実だが、巨人の野球に喝采を送るファンは、確実に増えていたのである。

監督としてチームを預かることになったとき、私がいつも手本としてきたのは川上さんであり、川上さんが率いたV9時代の巨人だった。いかに自分のチームをV9巨人に近づけるか――いつもそれを考えてきた。その意味で、私の野球は巨人の、川上さんの直系といってもいいかもしれない。

ヤクルトの監督だったとき、雑誌の企画で川上さんと対談する機会を得た。何を話したかもはや記憶はおぼろげだが、ひとつ忘れられないことがある。対談が終わってから、川上さんがこう言ったのだ。

「野村くんは想像以上に野球を勉強しているね。今日話してみて、野村くんが監督として手腕を発揮しているのは当然だということがよくわかりました」

子どものころから憧れていた大打者であり、監督としても私淑するほど尊敬していた大先輩にそう言ってもらって、とてもうれしかったのをいまも憶えている。

第二章
闘った！ 見た！ 考えた！

1959年の日本シリーズを制した南海の御堂筋優勝パレード。車上右から野村、中沢不二雄パ・リーグ会長、杉浦忠投手。（写真提供：産経新聞社）

1 名監督の変遷

「男と生まれて、なってみたいものが三つある」

そういった人がいる。ひとつは連合艦隊司令長官、ひとつはオーケストラの指揮者、そしてもうひとつがプロ野球の監督である。才能と個性を持った大勢の人間をまとめあげ、自分の思い通りに動かし、目標を達成する。これほど男冥利に尽きる仕事はないという意味だろう。

サッカーやラグビーと異なり、野球は一球ごとにプレーが止まる。この「間」は何を意味しているのか。「考えろ、備えろ」と言っているのだと私は理解している。刻々と移り変わる状況と心理状態を考慮し、あらゆる作戦のなかからもっとも成功する確率の高いものを選択し、実行する。そのための時間が与えられているわけだ。

つまり、野球は「頭のスポーツ」なのであり、そこに野球の魅力と醍醐味はある。だからこそ、指示を出す監督の責任と役割は、ほかの競技に較べて格段に大きいのである。その意味で、プロ野球八十年の歴史は、名監督がしのぎを削りあった歴史といってもいいだろう。

三大監督――鶴岡、三原、水原

私がプロ入りした当時、「三大監督」と呼ばれる人たちがいた。鶴岡一人さん、三原脩さん、水原茂さんの三人である。このうち、選手として私が長年仕えたのが鶴岡さんだった。鶴岡さんは一九四六年、選手兼任で南海（当時の名称は近畿グレートリング）の監督になるや、一年のブランクをはさんでじつに二十三年間も指揮を執り続け、十一度のリーグ優勝を達成。日本一にも二度輝いている。

ただし、こと野球に関して、私は鶴岡監督から学んだという意識はまったくない。鶴岡監督の野球は軍隊式の精神野球そのものだった。カーブの打ち方を訊ねれば「よう球を見てスコンと打て」。リードについて疑問をぶつけても「自分で勉強せい！」という答えが返ってくるだけ。何かといえば「気合だ！」「たるんどる！」「ぶつかっていけ！」と檄が飛んだ。正直、「どこが名監督なんだ」と思ったものだ。

ほめられた記憶もほとんどない。

「おまえは二流の球はよう打つが、一流は打てんのう」

よく嫌みを言われた。三冠王を獲ったときでさえ、「何が三冠王や。ちゃんちゃらおかしいわい！」と貶された。

ほめられたのは、たった二度だけ。だが、それだけに感激はひとしおだったのも事実だ。一度目は、プロ入り三年目にブルペンキャッチャーとして随行したハワイキャンプで結果を出したとき。帰国後の記者会見で鶴岡監督がこういった。

「キャンプは失敗だったが、ひとつだけ収穫があった。それは野村に使えるメドが立ったことだ」

そして二度目はレギュラーをつかみかけたころ、大阪球場の通路ですれちがいざまにかけられた「おまえ、ようなったな」という言葉。このふたつの言葉がなかったら、私はこれほど長くプロ野球の世界で生きていくことはできなかったかもしれない。

〝親分〟と呼ばれただけに、鶴岡さんは情をもって人を動かすのに巧みだった。〝子分たち〟は「親分のためなら」と団結し、奮起した。南海の強さの秘密の一端は、鶴岡さんのこのような人心掌握術にあったと思う。

鶴岡さんが親分なら、三原さんは〝智将〟〝魔術師〟と称された。三原さんは巨人を追われたあと、西鉄の監督に就任。日本シリーズで巨人を三年連続で倒し（なかでも三連敗のあと四連勝した一九五八年は伝説となった）、その後大洋でも六年連続最下位だったチームを一躍日本一へと導いた。

三原さんとは何度も対戦した。選手の能力を見抜いた起用や独特の戦術、采配には敬意を表する。けれども、正直、私はあまりいい印象を持っていない。

鶴岡さんと対照的に、三原さんは自軍の選手をほめあげた。が、その一方、敵に対しては非常に冷徹な態度をとった。あるとき、球場で鉢合わせしたので「こんにちは」とあいさつすると、「フン」とそっぽを向かれたこともある。

おそらく、自軍の選手の気持ちを乗せ、かつ相手選手を挑発するために意図的にやったことだとは思うが、そんなわけで私は三原さんを素直に名将と認めたくない気持ちがあるのも事実なのである。

三原さんの跡を襲い、巨人の第二次黄金時代を築いたのが水原さんだった。慶應ボーイでおしゃれだった水原さんは、野球においても積極的にアメリカの最新の技術や戦術を取り入れた。

なかでもブロックサインは日本初のもので、しきりにユニフォームをさすっている水原さんを見たときは、「なんでユニフォームなんか気にしているんだ。キザなおっさんだな」と思ったものだ。

ただ、水原さんのそうした華やかさは、ときに軽薄さにつながり、チーム全体がゆるんだムードを醸すことがあった。

一九五九年の日本シリーズで四連勝したこともあり、水原巨人に対して私は、はっきりいってそれほど怖さは感じていなかった。

私が目標にした川上監督

そんな巨人の雰囲気がガラッと変わったのは、川上哲治さんが監督になってからのことだった。川上さんこそ、監督としての私がつねに目標にしていた人だった。

選手を動かすには、以下のやり方があると私は考えている。「恐怖で動かす」「強制して動かす」「理解して動かす」「情感で動かす」「報酬で動かす」「自主的に動かす」の六つである。むろん、この六つを相手や状況によって使い分けたり、組み合わせたりするわけだが、いずれの監督もこのうちのどれかに軸を置いて選手と接しているはずだ。鶴岡さんは「情感で動かす」典型だったし、三原さんと水原さんは選手を「理解」したうえで「自主的」を重んじたように思える。

では、川上さんはどうだったかといえば、六つのすべてをまんべんなく駆使していたと私は見ている。

「恐怖」については、川上さんが監督になったとたん、チームにピーンと張りつめた空気が流れたことで明らかだし、ＯＮでさえいっさい特別扱いしなかったことから、その「強制力」がいかほどのものだったか想像に難くない。「理解して動かす」という点は、「ドジャースの戦法」を導入、適材適所の打線をつくりあげたことが証明しているし、選手たちが「自主的」に考え、動かなければ常勝チームにはなりえない。

また、「報酬」でいえば、ホームランや打点、勝ち星だけでなく、それまであまり着目されなかった地味なプレーをきちんと評価するシステムを最初につくったのが川上さんなのだ。

監督の最大の仕事は人づくり

残る「情感」に関しては、川上さんは非情だったといわれる。勝つためには手段を選ばなかったのは事実だ。しかし、じつはいかに選手に愛情を持っていたかは、川上さんの次の言葉から推し測れるのではないか。

「ほとんどの選手は引退後の人生のほうが長い。ほかの社会に入っても、さすがはジャイアンツの選手だと言われるような選手にしておきたい」

そうした考えから、川上さんは人としてのあり方を厳しく説いた。人間教育に力を入れた監督など、それ以前にはいなかったと思う。私が入団したころの南海なんて、試合が終われば〝飲む・打つ・買う〟ばかりだったと言ってもいい。そんな時代に、「野球人である前にひとりの人間であること」を重視したのが川上さんだった。

川上さんが戦力に恵まれたのは事実である。が、それだけで勝ち続けることができたかといえば、それは違う。

敬愛する大先輩の名前を出して恐縮だが、西本幸雄監督が率いていた阪急ブレーブス（現オリックス・バファローズ）は、戦力では決して巨人にひけをとらなかった。むしろ上回っていたかもしれない。けれども、五度も日本シリーズで巨人に挑戦しながら、一度も勝てなかった。それはどうしてなのか。

西本さんは鉄拳制裁も辞さない熱血漢で、技術指導には非常に熱心だった。毎日バッティングケージのうしろで手取り足取り教えていた。その情熱には頭が下がった。けれども、川上さんと違って人間教育に力を注いだという話は聞いたことがない。それが西本さんを〝悲運の名将〟にした最大の理由だと私は思っている。

私にいわせれば、監督の仕事とはチームづくり、人づくり、試合づくりの三つ。なかでも重要なのが人づくりだ。人としてどう生きればいいのか考えれば、考え方が変わり、考え方が変われば取り組み方が変わる。そうなれば、おのずと結果も変わってくるのである。川上さんが考え方のエキスを選手たちに注入したからこそ、川上巨人は九年連続日本一になることができたのだ。

いなくなった名監督

川上さん以降、名将といわれた監督をあげれば、西本さんの跡を継いで阪急を三年連続日本一に導いた上田利治（としはる）、弱小だった広島を強豪に育て上げた古葉竹識（こばたけし）、ヤクルトスワローズと西武ライオンズで三度の日本一に輝いた広岡達朗さん、その後継者として西武の黄金時代を築いた森祇晶といった名前が思い浮かぶ。

しかし、近年はどのチームの監督も小粒になったというか、名将と呼ぶにふさわしい監督がいなくなった。これは、いったい何が原因なのだろうか――。

まず考えられるのは、選考にあたって能力を第一に問うことが少なくなったことだ。人脈や知名度、タレント性のほうが、監督としての能力より重視されるのである。オーナーや有力後援者のおぼえがめでたい人間、あるいは元スター選手が選ばれるわけだ。監督どころかコーチも経験しないまま、選手からいきなり監督になった巨人の高橋由伸が最たるものだ。

また、とくに最近は順番制で監督になる者も多くなっている。チームが明確な意志をもって「次はおまえだ」と早くから指名しておくのならいいが、たいがいはほかに適当な人材がいないからという理由で、年功序列で昇格するケースが増えているように思える。

が、もっとも大きな理由は、もはや監督だけでは強いチームをつくるのは難しくなっていることだろう。

「あなたは監督を代えればチームが強くなると思っていませんか？」

阪神の監督だったとき、私は当時の久万俊二郎オーナーに詰め寄ったことがある。

「監督を代えるだけで勝てたのは、精神野球の時代までです。昔は野球の本質を理解せずにやっていたから、そこに監督が少し頭脳を加えるだけで勝てた。でも、これだけ情報が発達し、技術も高度になった現在では、監督だけを代えても強くなりません！」

つまり、強いチームをつくるには、とくにスカウトとスコアラーに有能な人材を揃え、監督をサポートする体制が不可欠な時代になったのだ。それなくしては、いくら優れた監督をもってしても強化はおぼつかない。逆にいえば、いまの監督にはそういう体制づくりを球団に要求し、実現させるだけの交渉力が必要なのかもしれない。

その意味で、現代きっての名将は星野仙一（せんいち）ということになるのか。阪神、そして東北楽天ゴールデンイーグルスで私の後任監督となった星野は、アメとムチを巧みに使い分けて選手を掌握する一方で、私にはなかったツメと押し、それから政治力で球団を動かし、足りなかった人材を次々と獲得。阪神でリーグ優勝を、楽天では日本一を達成した。のちに久万オーナーに私は言われたものだ。

「きみはたしかに選手をよく見ているし、教育もできる。しかし、『じゃあ、うちに』と選手をひっぱってくるだけの政治力がなかった。星野にはそれができるんだよ」

優勝をカネで買う時代？

私がプロ入りした当時は「精神野球」が全盛だった。その後、巨人やドン・ブレイザー、ダリル・スペンサーといったメジャーリーガーがアメリカの最新鋭の理論や概念を持ち込み、シンキング・ベースボールすなわち「考える野球」が潮流となった。

私のＩＤ野球もこの延長線上にある。そしていまは「優勝をカネで買う時代」になった——私はそう見ている。

二〇一五年、セ・リーグがヤクルト、パ・リーグは福岡ソフトバンクという、いずれも就任一年目の監督が指揮を執ったチームがレギュラーシーズン一位となったことで、私はその意をさらに強くした。

真中満、工藤公康の両監督はたしかによくやった。真中は「自主性」を掲げ、二年連続最下位のチームの意識を改革、私譲りのＩＤも取り入れ（二軍コーチ時代には、現役時代にミーティングなどで私が話したことをメモしたノートを何度も見返したそうだ）、混戦を制した。とくに、キャッチャーを中村悠平で固定したのは大きい。キャッチャーが育てばチームづくりの半分は終わったようなものだ（ちなみに巨人が低迷した最大の原因は、キャッチャーを固定しなかったことだと私は考えている）。

工藤も選手の力を最大限に発揮させ、日本一になった前年を上回る九十もの勝ち星を積み上げた。とりわけ選手とのコミュニケーションに腐心したと聞くが、うまく選手のやる気を引き出した結果だろう。観客に不快感を与えないよう、茶髪やガムを禁止したのにも感心した。

「外野手と投手出身に名監督なし」というのは私の持論なのだが、この年は両リーグとも見事に裏切られた。

けれども、彼らが一年目で優勝できたのは、逆にいえば、ほかのチームがふがいなかったことも大きい。ひと言でいえば、野球の本質からはずれている。考えている、頭を使っている、工夫しているという感じが伝わってこない。淡々と野球をやっている。だから戦力の多寡が、好不調がそのまま成績に表れてしまう。「優勝をカネで買う時代になった」というのは、そういう意味だ。

先に述べたように、監督受難の時代になったのは事実である。戦略も戦術もすでに出尽くした観があるし、私が考え出したサインプレーやデータ活用も、すべてのチームが競うように力を入れるようになった。加えて、かつては各球団に監督を育てる度量があったが、いまはすぐに結果が求められる。じっくり腰を据えて人づくり、チームづくりに取り組む余裕も与えられない。

とはいえ、である。「投げ損じ、打ち損じ」の野球では魅力は半減するし、ドラマも生まれにくい。お金で優勝が買えるのでは、ファンもワクワクしないだろう。

新しい監督を迎えるにあたっては、各球団は、とくにオーナーには、「監督を育てる」という気概を持って新監督をサポートしてほしい。

2 「夢の球宴」を取り戻せ

プロ野球の〝夏の風物詩〟といえばやはり、毎年七月に開催されるオールスターゲームだろう。ファン投票、監督推薦、そして選手間投票によって選ばれた〝スター選手〟が一堂に集結する〝夢の球宴〟である。

オールスターは一リーグ時代の一九三七年、メジャーリーグのそれをモデルに、「東西対抗」というかたちではじまった。その後、一九五〇年の二リーグ制移行に伴い、いまのようなセントラル・リーグとパシフィック・リーグの対抗戦になったのである。

私がはじめて出場したのは、プロ入りして四年目、一九五七年のことだった。「オールスターに出場してはじめて、一流と認められる」――そう思っていたから、選ばれたときのうれしさはいまも忘れていない。テスト生として入団したときには、まさか出場できるとは夢にも思わなかった。それだけに、「ようやく自分も一流の仲間入りができた……」とうれしさをかみしめたものだ。

以来、一九六八年まで連続して出場。一九七〇年から七七年まで再び連続出場を果たし、最後となった一九八〇年を合わせて二十一回出場したと記録にはある（じつは一九六九年もファン投票で選ばれたのだが、ケガのためどうしても出場することができなかった）。これは、歴代一位の記録だという。

とはいうものの、正直、活躍した記憶はあまりない。憶えているのは、平和台球場と広島球場で開催された一九五八年（その年は二試合だった）、殊勲選手賞か何かの賞品で、女性の身体ほどもある宮島名産の大きなしゃもじとオートバイをもらい、そのオートバイに乗って広島球場のグラウンドを一周したことくらいだろうか（しゃもじはいまも家にあるはずだが、オートバイはスポーツ新聞社に買い取ってもらった）。

あとは、試合前のホームラン競争ではそこそこ打った記憶がある。もっとも、あれは投げ手の力が左右するところが大きい。野手が投げると、真っ直ぐ投げているつもりでもボールが変化してしまう。いちばん打ちやすいのはキャッチャーだ。キャッチャーはセカンドに送球するとき、球が変化すると野手が取り損なうので、真っ直ぐ投げる訓練ができているのである。

取材の場でもあった夢の球宴

オールスターだけでなく、日本シリーズでも私はあまり打てなかった。そのため、「大試合に弱い野村」というレッテルを貼られたものだった。

というのは、私の武器はやはりID、すなわちデータの活用にある。ふだん対戦しないピッチャーが相手だと、どうしても分が悪くなってしまうのだ。だから、オールスターは、ホームラン競争以外ではたいして打っていないと思い込んでいた。

ところが、記録を調べると、意外にも最多安打記録を持っているのは私なのだ（四十八本）。出場試合数では私を一試合上回る（五十八試合）王貞治より八本も多い。最優秀殊勲選手にも一九七二年と七七年の二回選ばれている。

ならば、なぜ活躍した記憶がないのか――。これは、私にとってオールスターは「取材の場」という意味合いが強かったからではないかと思う。

オールスターは、ふだんは敵である他球団の選手とチームメイトとなる。ベンチなどで話す機会も増える。

「この選手はどういう性格なのか、どういう考えで野球をやっているのか」

話をしながら私はいつも探っていた。

選手の性格や考え方は、バッターボックスやマウンドでも必ず現れる。それらを事前に把握しておけば、それだけ対応しやすくなるわけだ。しかも、オールスターではみな、少なからず気分が高揚しているから、無防備になりがちだ。〝個人情報〟を収集するには、絶好の機会だったのである。

村山実から長嶋茂雄の攻略法を聞いたのも、オールスターだった。「教えてくれよ」と頼むと、「簡単ですよ」と言って、村山はあっさり答えてくれた。

「長嶋さんはつねに打つ気だから、それを利用するんです。真ん中からちょっと外寄りのコースにポトンと落とせば、勝手にゴロを打ってくれますよ」

その後、オールスターで長嶋と対戦するときは、ずいぶんとこの手を使わせてもらったものだ。

逆に、一筋縄ではいかなかったのが稲尾和久だった。南海が優勝するためには、西鉄のエースだった稲尾攻略が絶対条件だった。だから、彼とバッテリーを組んだときは、相手バッターそっちのけで稲尾攻略の糸口を探ろうとしたのだが、稲尾は稲尾で私を警戒し、観察していた。とにかく私が出すサインにことごとく首を振るのである。

「ノムさんの言うとおりに投げると、自分のピッチングに対する考え方が見抜かれてしまうのではないか……」

おそらく、そう思っていたのだろう。これには、私が稲尾のフォームを十六ミリで撮影し、クセを研究しているという秘密を、オールスターの際に杉浦忠が稲尾にバラしたことも関係していたかもしれない。

その正否はともかく、そうやって稲尾と私は、自分の手口をあるときは隠し、あるときはあえてさらして、裏をかき合い、化かし合いながら、おたがいの思考を探り合っていたのである。

繰り広げられた真剣勝負

ところで、日本がモデルにしたメジャーリーグのオールスターは、「ベーブ・ルースとカール・ハッベルの対決が見たい」という、ある少年ファンの訴えからはじまったという逸話がある。

ルースとハッベルは、ともにニューヨークに本拠を置くヤンキースとジャイアンツ（その後サンフランシスコに移転）の主砲とエースだったが、所属リーグが違うため、両チームがワールドシリーズに進出しないかぎり、対戦することはなかったのだ。まさしくオールスターは夢の対決であり、そこに出場することは大変な名誉、誇りであったに違いない。

日本においてもそれは同様だった。オールスターに選ばれることは、われわれにとっても夢であり、目標だった。

とりわけ、ふだんの試合の放送が少なく、いくら活躍してもマスコミで取り上げられることがなかったパ・リーグの人間にとっては、オールスターは日本シリーズにも劣らぬ晴れ舞台。

「セ・リーグに負けてなるものか！」

何もいわなくてもみんな団結した。

張本勲（いさお）はいつも私にこういって発破をかけた。

「ノムさん、絶対にONに打たすなよ。打たれたら、パ・リーグが勝っても新聞の一面はONだからな」

むろん、私も王だけには絶対に負けたくなかった。なにしろ王は、私の記録の価値をことごとく下げた男だ。とくに、一九六三年に私が五十二本塁打を打って十三年ぶりに塗り替えた年間最多本塁打記録を、その翌年いとも簡単に更新されたときの悔しさといったらなかった。

「オールスターでは意地でも打たせるものか！」

強く誓った。一九七三年、通算本塁打数でも先を越されてからは、その気持ちにさらに拍車がかかった。

結果、一九七三年以降に私がマスクをかぶった試合での王の成績は、二十七打数一安打。ホームランも打点もゼロである。オールスターでの王の通算ヒット数が私より少ないのは、そのためだろう。

「人気のセ、実力のパ」とよく言われたように、両リーグの対戦成績も当時はパ・リーグが勝っていたはずだ。

もはやたんなる遊びの場？

このように、かつてのオールスターは選手にとって大きな価値があった。ところが、いまの選手にそういう意識は稀薄（きはく）なようだ。こういうことがあった。

セ・リーグの監督を務めたときのことである。ある内野手がケガをして出場できなくなったので、別の選手に声をかけた。当然、喜ぶだろうと思った。ところが、その選手は言った。

「お断りします」

おそらく、誰かの「代わり」として出るのが嫌だったのだろう。気持ちはわからないでもないが、それにしても、である。私など一軍に上がって田舎に後援会ができたとき、会長に電話して、自分に投票してくれるよう頼んだほどだった。たとえケガをしていたって、できるかぎり出場しようとした。それは、ファンに対する義務であるとも考えていた。

「いまの選手にとって、オールスターはその程度の価値しかないのだな……」

私は寂しく思った。「名誉の祭典」から「名誉」が抜け落ち、たんなる「お祭り」になってしまったのだ。

そういう流れにさらに追い打ちをかけたのが、やはり私がセ・リーグの指揮を執った一九九六年だった。

第二戦の九回、二死ランナーなしの状況で巨人の松井秀喜(ひでき)が打席に回ってきた。すると、パ・リーグを率いていた仰木彬(おおぎあきら)が、あろうことかライトを守っていたイチローをマウンドに立たせたのである。

スタンドは沸いた。しかし、私は松井を引っ込め、ピッチャーの高津臣吾(しんご)（ヤクルト）を代打に送った。

「オールスターという大舞台で、野手をピッチャーに起用するのはオールスターを冒(ぼう)

瀆（とく）するものであり、対戦バッターに対しても最大の侮辱だ。オールスターを何と心得ているのか！」

そう憤慨したからだ。かつて私が出場することを夢にまで見たオールスターが貶（おとし）められた気がした。

オールスターは一流の選手同士がおのれのすべてをかけてぶつかりあう場である。たしかにイチローはバッターとしては超一流だ。しかし、ピッチャーとして一流か？その程度の〝ピッチャー〟をオールスターという舞台に出すことは、松井のみならず、ほかの選手に対しても失礼極まりないではないか。

おそらく仰木は「ファンサービス」と考えたのだろう。が、それは断じて違う。本当のファンサービスとは、一流による真剣勝負を見せることにほかならない。仰木自身、現役時代はオールスターにほとんど出たことがないから、そういうことがわかっていないのだ。

要は、人がやらないことをやって自分が目立ちたいだけ。そんなよこしまな考えに、なぜわれわれが協力しなければいけないのか——。念のため、松井にも「どうする？」と訊ねると、「できたら代えてください」と答えた。それはそうだろう。かりに打てなかったら、何をいわれるかわかったものではない。

あの出来事は、本当にオールスターの価値を下げたと私は思う。もはやオールスターは、両リーグの、個々のプライドをかけた真剣勝負の場どころか、たんなる遊びの場と化してしまったのである。

一試合にして価値を高めよ

いったい、いつごろからそういう風潮がはびこるようになったのか――。

ひとつ考えられるのは、ファン投票において組織票が目立つようになってからではないか。

組織票の最初は、一九七八年だったか、日本ハムの選手が九つのポジションのうち八つを占めたときだ。いまと違って、当時の日本ハムはお世辞にも人気のあるチームとはいえなかった。しかも、この年の前期（当時のパ・リーグは二期制だった）、日本ハムは三位に入ったとはいえ、大きく負け越していたのである。

それ以前にも、たとえば甲子園のスターだった太田幸司（近鉄バファローズ）や島本講平（南海）がほとんど実績をあげていないにもかかわらず一位に選出されたことがあった。しかし、これは彼らのアイドル的人気を考えればいたしかたない面があった。

対して、日本ハムの場合は、球団がファンクラブに投票を呼びかけたのである。こうなっては、もはや「オールスター」とは到底呼べない。さすがに批判が続出し、たしかふたりの選手が出場を辞退したと記憶しているが、こんなことがまかり通っては、選手のモチベーションは下がるに決まっている。

また、近年は交流戦が導入され、それまでオールスターでなければ見られなかった異なるリーグの選手の対決が見られるようになった。これも、オールスターのさらなる価値低下につながっているに違いない。

だから、推薦されても辞退するなどということが起きる。価値を感じない場所に出るくらいなら、休んでいたほうがいいと選手は考える。ましてケガでもして後半戦を欠場するはめになったら、給料にも響いてくる。

だが、「本当は休みたいのになぁ……」と思いながらプレーしている姿など、誰が見たいと思うだろうか。いまはファン投票で選ばれた選手が辞退すると、後半戦は開始直後の十試合に選手登録できなくなったようだが、そんなルールができたこと自体、オールスターがどれだけ軽視されているか物語っているではないか。

監督としても私は何度か出場しているが、オールスターの監督ほどつまらないものはない。基本的に選手まかせで、サインも出さない。采配の妙なんてものは、まったくないうえ、ファン投票で選ばれた選手は必ず出場させなければならないという決まりがある。どうしても忘れてしまうから、マネージャーか誰かに、どの選手を使ったかチェックしてもらわなければならなかった。監督として、もっとも頭を使ったのがそのことだった。

メジャーのオールスターは一試合だけである。しかも、三十球団あるなかで、選ばれるのは各リーグ三十三人ずつの六十六人。せっかく選ばれても出場できない選手がたくさんいるが、その場にいられるだけでも選手にとってはいまも大きな喜びであるはずだ。

日本も一試合にすべきではないか。出場選手も、いまは十二球団で原則五十六人だが、メジャーに較べれば多すぎるので減らしてもいいかもしれない。

そうやって、かつてのような価値を取り戻せば、選手のモチベーションも上がり、〝夢の球宴〟にふさわしい真剣勝負が繰り広げられるのではないだろうか。

3　日本シリーズにふさわしい勝負とは

二〇一六年の日本シリーズは、十二球団中、もっとも長くリーグ優勝から遠ざかっていた広島カープが二十五年ぶりに出場した。残念ながら日本ハムに敗れはしたが、例年以上の盛り上がりを見せたのはまだ記憶に新しい。

私がはじめて日本シリーズに出場したのはプロ入り六年目、一九五九年のことだった。相手は巨人である。当時の南海はつねにリーグ優勝争いに加わる強豪で、二リーグ制となった一九五〇年にはじまった日本シリーズにも四度出場していた。ところがいずれも巨人に敗れ、一度も頂点に立てずにいた。

巨人に対しては、もうひとつ因縁があった。一九五七年のオフ、巨人と南海は立教大学の長嶋茂雄をめぐって争奪戦を繰り広げた。南海は早くから獲得に動いていたこともあり、獲得は確実と目されていたのだが、巨人が猛アタックをかけた結果、土壇場になって長嶋は翻意、巨人に入団したのである（立大のエースだった杉浦忠は、約束通り南海の一員となった）。

さらにいえば、一リーグ制時代の一九四九年には、南海のエースだった別所毅彦さんを巨人が強引に移籍させた、いわゆる〝別所引き抜き事件〟も起きていた。

それだけに、巨人を破っての日本一は南海の悲願であり、今度こそ負けるわけにはいかなかった。

シリーズ初出場で巨人に四連勝

結果から述べれば、このシリーズは南海の四連勝で決した。立役者は杉浦だった。第三戦は先発完投で三連勝をもたらすと、雨で順延された第四戦も先発して完封勝利。四連投四連勝という超人的な活躍でチームを日本一に導いたのである。
初戦に先発して勝ち投手となった杉浦は、第二戦は逆転した五回からリリーフ。第三
巨人にやられ続けていた先輩たちはみな、感極まったのだろう、泣いていた。翌々日に御堂筋（みどうすじ）で行われた優勝パレードには二十万人のファンが詰めかけた。しかし、シリーズ初出場であっさりと四連勝してしまった私には、正直言って、それほどの感慨はなかった。杉浦も同様だったらしく、大喜びする先輩たちを横目に「そんなにうれ

しいか？」とボソッとつぶやいたのを憶えている。私も杉浦も、この先何度も日本一を体験できるとそのときは考えていたのである。

事実、南海は一九六一年にも日本シリーズに出場した。相手はやはり巨人だったが、この年は前に述べたように、第四戦の九回裏、勝利まであとワンアウトという場面でジョー・スタンカが投じた明らかなストライクが円城寺満球審に「ボール」と判定されたことをきっかけに、二勝四敗で敗れてしまう。その後、六四年に阪神を下して私にとって二度目の日本一を経験したものの、巨人と激突した翌六五年と六六年は、またしても苦杯をなめさせられた。

このころの巨人は、全盛期を迎えつつあった〝ON〟を中心に九連覇に向かって邁進していく時期。対して南海は、杉浦が登板過多による故障で精彩を欠くようになったのに加え、六六年は私自身シーズン終盤に骨折した右手が完治しないまま出場せざるをえなかった。戦力的に差があったのも事実だった。

とはいえ、短期決戦には短期決戦の戦い方がある。戦略・戦術次第で巨大戦力を倒すことは決して不可能ではない。それを試す機会がやってきたのは、選手兼任監督になって四年目の一九七三年だった。

突然の雨天決行で九連覇を許す

その年からパ・リーグは前後期制を採用することになった。前期と後期を制したチームが五回戦制のプレーオフでリーグ優勝を決めるのである。当時のパ・リーグは阪急の実力が抜きん出ていた。戦力で劣る南海は、一シーズンをフルに戦っては阪急に勝てないのは明らかだった。そこで私は全力で前期優勝を獲りにいき、後期は捨てることにした。思惑通りに前期を制した南海は、後期の覇者・阪急とプレーオフを戦うことになった。

短期決戦では、戦力の劣るチームは三連勝、四連勝を狙ってはいけない。ピッチャーが足りなくなるのである。逆に三連敗、四連敗しかねない。そこで、捨てゲームをうまくつくりながら、限られた戦力を有効かつ最大限に活用することが必要になるわけだ。

川上哲治さんやその直系といえる森祇晶は「第二戦重視」を唱えていた。初戦は勝敗をある程度度外視してでも相手の手の内と戦力を確認することに費やし、第二戦を確実に勝ちにいくという意味である。

しかし、これはV9巨人や黄金時代の西武のような、がっぷり四つに組めば絶対に負けない強者だからこそ採れる戦略。南海には無理だった。そこで私が選択したのは「奇数戦重視」。すなわち、一、三、五戦に勝つということだった。とりわけ初戦に全力を傾けることにした。劣勢が予想される場合、初戦を落としてしまえば「やっぱりダメなのか……」と選手が自信を失い、そのままズルズルいきかねない。逆に勝てればムードが高まり、短期決戦に欠かせない勢いがつくからである。

私の筋書き通り、総力戦で初戦をモノにした南海は、第三戦、第五戦を制し、七年ぶりに日本シリーズの出場権を獲得、パ・リーグの王者として巨人と相まみえることになったのだった。

そのころの巨人は往年の強さには陰りが見えていたとはいえ、実力は南海より上。なにより経験は較べものにならなかった。当然、私は初戦を全力で獲りにいった。そして、実際に逆転で勝利をおさめ、チームには「今度こそ行ける!」というムードが芽生えた。ところが、ここで思わぬ〝敵〟がわれわれの前に立ちふさがった。

第二戦当日の天気予報は雨だった。私はほくそえんだ。ピッチャーが足りない南海にとって願ってもないことだったからだ。事実、大阪球場のグラウンドは水浸し。どう見ても中止である。ところが、その水を球団に駆り出された二軍の選手たちが雑巾で吸い上げている。

「やめろ！　やめてくれ！」

私は球団に掛け合った。

「野球をできる状態じゃない。中止にしてください」

しかし、球団の営業担当は聞き入れなかった。

「もう和歌山から応援の団体バスも出発している。中止にはできません」

入場料などの収入がなくなることを危惧したのだ。

「日本一と入場料、どっちが大切なんだ？　相手は巨人だ。順延しても絶対に満員になる！」

私は執拗に食い下がった。というのも、私の頭には、西鉄が巨人に三連敗したあと四連勝した一九五八年の日本シリーズがあったからだ。この年は平和台での第四戦が雨で順延されたのだが、試合ができないほどの状態ではなかった。それを西鉄の三原脩監督が強硬に中止を主張したのである。初戦と第三戦に先発したエースの稲尾和久を休ませるためだ。この順延で稲尾は四連投することができ、球史に残る大逆転が生まれたのである。

三原さんと同じことを私は考えたわけだが、目先の利益がほしい球団は要請を却下。厚い雲が垂れこめ、昼間なのに照明灯を点灯せざるをえない状況のなか、第二戦はプレーボールを三十分以上遅らせて強行された。

南海にとって思いがけぬ展開はこれだけではなかった。南海の一点ビハインドで迎えた七回裏、無死満塁の場面で、巨人は堀内恒夫をリリーフに送ってきた。堀内はこの年不調で、このシリーズの出場はないとの情報があった。したがってノーマークだった。果たして南海はこのチャンスに一点止まり。そして延長十一回、その堀内にタイムリーを喫し、敗れてしまったのである。

この敗戦で流れは完全に巨人に傾いた。まさしく営業と堀内にしてやられたシリーズだった。この年は巨人の九連覇の最後の年。最初と最後の相手が私のいた南海だったというのも、何かの因縁なのだろうか……。

日本一には〝ふさわしいチーム〟がある

さて、監督としても私は、選手兼任時代を含めて日本シリーズに五度出場した。なかでも思い出深いのがヤクルト時代の一九九二年と九三年である。いずれも相手は、選手時代にキャッチャーとして切磋琢磨しあった森祇晶率いる西武だった。

九二年は監督になって三年目。混戦を制し、やっとのことで一九七八年以来のリーグ優勝を果たしたのに対し、西武は野手では石毛宏典、秋山幸二、辻発彦、清原和博、オレステス・デストラーデ、投手陣には工藤公康、渡辺久信、郭泰源、石井丈裕といった錚々たるメンバーを擁し、独走で三連覇を飾っていた。

「西武の圧倒的有利」の予想を覆し、シリーズは第七戦までもつれた。しかし、最後にはやはり力尽きた。戦力の差もあったが、それ以上にわれわれは技術的にも精神的にも未熟だった。負けは必然だった。

じつは、第七戦を前にして私はふと思った。

「このまま日本一になっていいのだろうか……」

日本一には〝ふさわしい〟チームがなるべきだと私は考えていた。〝日本一にふさわしいチーム〟とはいかなるチームか。チーム全員が監督の目指す野球を理解し、意思統一されたうえで、選手が各自の役割と責任をまっとうするチームのことだ。V9時代の巨人がまさしくそうであり、この時代の西武もそうだった。技術の高さもさることながら、選手個々が野球を熟知していた。

その点でこの年のヤクルトは〝日本一にふさわしいチーム〟とは言えなかった。運と勢いに恵まれた部分も少なくなかった。にもかかわらず、このまま日本一になってしまえば、自分たちを過信し、かえって成長を妨げてしまうのではないか――そう感じたのである。

しかし、敗れたことで選手も私も、悔しさとともに力不足を痛感させられた。野球の奥深さ、一球の重みを身をもって知った。翌年の春季キャンプ前日。選手たちの目には力が漲っているのを私は感じた。

選手が成長し、悲願の日本一

そして翌年、ヤクルトは四勝三敗で西武を下し、日本一になった。選手たちの成長を感じさせた象徴的な場面が二勝一敗で迎えた第四戦、八回表の守備だった。一対〇とリードしていたものの、二死一、二塁のピンチ。バッターは三番の鈴木健(けん)である。長打を警戒した私は、外野に「下がれ」と指示を出した。ところが、鈴木の打球はセンター前へ。「しまった!」と思った次の瞬間、打球をワンバウンドで捕球した飯田哲也がバックホーム。ボールはノーバウンドで古田敦也のミットに収まり、二塁ランナーはタッチアウトとなったのである。

飯田は私の指示をあえて無視した。

「センターからホームに強い向かい風が吹いていたので、うしろを越されることはない」

そう判断したからだ。

第七戦八回表、日本一を決定づける追加点をもぎとった古田の走塁も、彼の自主的な好判断が生んだものだった。ワンアウトから三塁打を放った古田は、次の広澤克実（当時は克己）のショートゴロで生還したのだが、これは前年のシリーズ第七戦の手痛いミスを活かしたものだった。

そのミスが起きたのは一対一で迎えた七回裏だった。一死満塁のチャンスで杉浦享（とおる）の打球はセカンドゴロとなった。タイミング的には間に合わないと思われたが、二塁手の辻は併殺を狙わず、本塁へ送球した。

「しめた！　勝ち越しだ！」

そう思った刹那、三塁ランナーの広澤はフォースアウト。無得点に終わってしまったのである。

広澤が憤死した原因は、スタートが遅れたことにあった。打球がライナーになることをケアしたためである。ゲッツーを避けるため、「ライナー性の打球では飛び出すな」と私が指示していたので、一瞬躊躇（ちゅうちょ）したのだ。

このミスを逆手に取り、翌年のキャンプでは、このようなケースではボールがバットに当たった瞬間にスタートを切る練習を繰り返した。名づけて〝ギャンブル・スタート〟。古田はワンストライク・スリーボールからの五球目、広澤のバットがボールに当たった瞬間にギャンブルをしかけた。それが見事に成功したのである。

振り返れば、このシリーズもミスは少なくなかった。しかし、就任四年目にして私の理想とする野球がチームに着実に根づいていることが随所に感じられた。この日本一は、ヤクルトが〝ふさわしいチーム〟に近づいたことを証明するものだったといっていいと思う。だからこそ、この二回の日本シリーズは屈指の名勝負としていまだ語り継がれているのだろう。

最近のシリーズはオープン戦のよう

日本シリーズとは特別な大舞台である。日本一を決めるに〝ふさわしい〟戦いを見せなければいけない。

「おれたちは日本一を決める戦いをしているんだ！」

そういう気概と覚悟を持って臨むことは、出場する者の義務である。私の現役時代は、とくにパ・リーグのチームはセ・リーグに対して、その象徴である巨人に対して、激しい闘志を燃やし、全力でぶつかっていった。巨人もまた、それを全力でねじ伏せようとした。日本シリーズとはそういう舞台であり、おたがいが全身全霊を傾けた戦いを通して選手たちも成長する。とくにキャッチャーは見違えるようになる。一球の重みを思い知らされ、根拠のないサインを出すことの怖さを身をもって体験するからだ。

ところが、近年の日本シリーズを見ていると、こう感じることが少なくない。

「オープン戦をやっているのか……？」

日本シリーズに対する〝敬意〟が感じられないのだ。判で押したような野球ばかりで、戦略と戦術のかぎりを尽くし、創意工夫を重ねているようには見えない。一球をめぐる緊迫感や観る者をハラハラドキドキさせるような一触即発のムードを感じさせるシーンにはほとんどお目にかかれない。毎年テレビやラジオの解説を頼まれるが、評論家泣かせのゲームが非常に多いのである。

これには、「優勝をカネで買う時代」になったことも影響しているかもしれない。野球が進化し、高度化したことで、正直、戦略・戦術もある程度出尽くした観は否めず、正攻法で戦わなければならなくなった。となれば、先に投資をして必要な人材を揃えてから戦うというやり方でなければ、優勝するのは難しい。そのためにはカネがかかる、ということである。球団もそれでいいと考えるようになった。

だが、それではあまりに寂しいではないか。戦力だけで日本一が決まるということは、野球の退化を意味し、これまで私が考え、実践してきたことが無になるということに等しい。せっかくクライマックスシリーズなるものができたのだから（私は日本シリーズの価値を下げるこの制度には反対なのだが）、短期決戦ならではの戦い方をしっかり準備すれば、下克上を果たすことは不可能ではないはずだ。

日本シリーズはそのシーズンの最強チームを決める戦いである。出場するチームには、その舞台に〝ふさわしい〟勝負を見せてもらいたいものだ。

4　走塁のセオリー

二〇一六年の広島二十五年ぶりのセ・リーグ制覇は、選手育成の大切さを知らしめるとともに、機動力の重要性をあらためて気づかせることになったと思う。

この年の広島のチーム盗塁数はリーグトップの百十八個。二位のヤクルトが八十二個だから、ダントツの数字といえる（ちなみに最少は阪神の五十九個、巨人は六十二個で四位）。

しかも、ヤクルトは二年連続トリプルスリーを達成した山田哲人がひとりで三十個を稼いでいるのに対し、広島は田中広輔の二十八個を筆頭に、丸佳浩が二十三個、鈴木誠也が十六個、菊池涼介が十三個と、盗塁数トップ10に四人を送り込んでいる（赤松真人も十二個で十二位）。

盗塁が多いということは、それだけ出塁し（田中、菊池、丸の合計出塁数は七百七。一〜三番バッターの合計数が七百を超えたのは広島だけだ）、得点圏にランナーを進めたということを意味する。つまり、そのぶん得点できるチャンスが増えるわけだ。

事実、広島の得点は六百八十四。六百点台はやはり広島だけで、ダントツである。チーム得点圏打率は二割六分四厘と、リーグ一位の横浜ＤｅＮＡの二割八分には劣るものの、得点圏にランナーを置いての打席数は、横浜ＤｅＮＡより二百以上も多いという。盗塁失敗も多いのは（五十二回、成功率六十九・四パーセントはリーグ四位）今後の課題だが、逆にいえば、成功率が上がればさらなる得点力アップが期待できるわけで、こうした機動力が広島の強力な武器となるのは間違いない。

攻守に大きな武器となる機動力

そう、足はチームにとって大きな強みになるのである。極端にいえば、出塁さえすれば、ヒットが一本も出なくても点を取れる。盗塁、送りバント、犠牲フライで一丁上がり。併殺になるおそれも少ない。監督としては非常にありがたいのだ。

なにより足の速いランナーは、塁にいるだけで相手バッテリーに圧力をかける。実際には走らなくても、素振りを見せるだけで、「次は走ってくるんじゃないか」「何か仕掛けてくるんじゃないか」などとよけいな気を遣わせ、バッターに集中しづらくさせるのである。

しかも、変化球のときに走られると、阻止率はどうしても低くなる。だからストレート中心の配球にならざるをえず、狙い球も絞られやすくなるわけだ。

そのうえ、足にスランプはない。私はキャッチャーだったから、足の速いランナーがどれだけ嫌なものか、身をもって知っている。だから、ヤクルトでも阪神でも楽天でも、足が速い選手を、バッティングには目をつむってでも積極的に起用した。

ヤクルトではキャンプ初日に一、二軍問わず駿足（しゅんそく）の選手を集め、そのなかからキャッチャーだった飯田哲也を抜擢。阪神では赤星憲広（のりひろ）をみずから希望して獲得した。

実働九年で三百八十一盗塁を記録することになる赤星は、JR東日本時代、シドニー五輪代表の強化指定選手になって阪神のキャンプにやってきた。当時、阪神には高波文一（ふみかず）という駿足の選手がいて、試しに競走させてみたら、赤星のほうがはるかに速かった。それが印象に残っていたので、ドラフト指名リストに加えてもらったのだ。

「打球を転がせ」

赤星に言ったのは、極端にいえばそれだけだ。赤星の足なら、打球を打ち上げさえしなければ、野手の正面に転がらないかぎり内野安打になる可能性が高いからである。

バットもグリップの太いタイプに替えさせた。

そして、この赤星と、やはり私の希望で獲得した藤本敦士、沖原佳典ら駿足七人を集めて――一九八〇年代に大洋の近藤貞雄監督が、高木豊、加藤博一、屋鋪要を順に並べて〝スーパーカートリオ〟を形成したのに対抗したわけではないが――〝F1セブン〟と命名して売り出した（もっとも、スーパーカートリオは一九八五年に全員が四十盗塁以上をマークし、この三人だけで二〇一六年の広島のチーム盗塁数より多い百四十八盗塁を決めたのに対し、F1セブンのほうは、じつは赤星以外はそれほど駿足というわけではなく、メディアの注目を集めるためという理由もあったのだが……）。

楽天では、新人の外野手・聖澤諒と育成選手として入団した内野手の内村賢介を抜擢した。ふたりは守備でも大いに貢献してくれた。あまり指摘されることがないが、駿足の選手はそれだけ守備範囲も広くなる。並の野手が捕れない打球でもグラブが届くのである。

プロ野球を変えた世界の盗塁王

ところで、盗塁といえば真っ先に名前をあげなければいけないのはやはり、阪急の福本豊だろう。通算盗塁数千六十五個は、国内では不滅の記録。一九七二年にはシーズン百六盗塁をマークした、〝世界の盗塁王〟である。

パ・リーグのキャッチャーはみな、福本に苦しめられた。弱肩だった私はなおさらだった。彼の足を封じようと、さまざまなことを考えた。たとえば一塁への牽制球をわざと悪送球にしてフェンスに当て、あらかじめ備えていた二塁手が素早くボールを処理してセカンドで刺そうとした。「先頭打者にしなければいい」と割り切り、二死で打順九番のピッチャーを打席に迎えたら（当時ＤＨ制はなかった）フォアボールを与え、あえて一番バッター福本との勝負に持ち込むという奇策も使った。前者はうまくいかなかったが、後者は二回成功した。しかし、三回目はなんとピッチャーの米田哲也に盗塁されて失敗した。

ほとほと困り果て、ついには「牽制球をぶつけてしまえ」と命じたこともある。二塁にいるときなら、よけられてもセンターがバックアップに入ればいい。ところが、ほんとうにぶつけてしまい、西本幸雄監督に烈火のごとく怒られたが、それほど福本は厄介だったのだ。

「どうすればいいのか……」

考えに考えた末、出した結論は、「ピッチャーとの協同作業」だった。聞いた話では、駿足のランナーが三・一～三・二秒ほどで二塁に到達するのに対し、キャッチャーが捕球してから送球が二塁に届くまでの時間は速くても二秒を切る程度。ピッチャーが悠長に投げていては刺すことは不可能だ。そこで、ピッチャーに小さなモーションで投げさせ、時間を稼ごうと考えたのである。

当時はランナーが出ても、ピッチャーはふつうのモーションで投げていた。盗塁されれば「二百パーセント、キャッチャーが悪い」とみなされていた時代である。ピッチャーたちは「球に勢いがなくなる」「コントロールが定まらない」と嫌がった。しかし、私は言った。

「福本にいいように走られるのと、どっちがダメージが大きい？　練習せい。そうすれば変わらなくなる」

「ちっちゃいモーション」と私が呼んでいたこの投法は、のちに「クイックモーション」と呼ばれることになった。いまではあたりまえのクイックモーションは、福本の足を封じるために私が編み出したものなのである。

当時に較べると、近年のプロ野球は総じて盗塁数が減っている。その理由はなんといっても、クイック投法をはじめとする盗塁を阻止する技術が進歩したことにあるが、それらは福本対策からはじまったのだ。その意味でも福本は、プロ野球を大きく変えたのである。

成功率で福本を上回った天才

その福本を盗塁成功率で上回ったのが、南海で私の同僚だった広瀬叔功だった。福本の成功率が通算七十八・一パーセントであったのに対して、広瀬の成功率は八十二・九パーセント。四十四盗塁をマークした一九六八年には、九十五・七パーセントを記録したこともある。成功率は二〇一六年に引退した巨人の鈴木尚広に抜かれたそうだが、鈴木は規定打席に一度も達していない。

広瀬は、長嶋茂雄、イチローと並ぶ天才だと私は思っている。全身バネという感じで、ある日、二軍の練習場で雑談をしていたとき、ある選手が広瀬に提案した。

「外野のフェンスに手を使わずに上ったら、麻雀の負けをチャラにしてやるよ」

「よし、見てなよ」と応じた広瀬は、ポンとジャンプするや、三メートルほどもあるフェンスの上に立っていた。これにはみな、拍手喝采するしかなかった。

広瀬の通算盗塁数は福本より少ない五百九十六個（歴代二位）だが、これには記録のためには走らなかったという理由もある。福本に対する対抗心もあったのだろうが、よく言っていた。

「おれは勝負に関係ないところでは走らない」

実際、十対〇というような一方的な試合では、いっさい盗塁しなかった。勝利に直接結びつくような盗塁でなくては意味がない——そういう哲学を持っていた。

当然、そういう状況では厳しいマークに遇う。にもかかわらず、福本を上回る成功率を残したのである（これは代走専門の前述・鈴木も同様で、ほめてやっていいだろう）。それでいて、努力している姿を一度も見たことがない。だから、天才なのである。

三本間もしくは二、三塁間ではさまれても、簡単には捕まらなかった。粘りに粘り、バッターランナーが得点圏に達するまで絶対にタッチされなかった。そうすれば、アウトはひとつ増えるが、チャンスは続く。

三塁にいるときは、ピッチャーゴロでもホームインしてしまう。ヤクルト監督時代、三塁にランナーがいるときは、ボールがバットに当たった瞬間にスタートする〝ギャンブル・スタート〟というのを私は考案したが、あれは広瀬をイメージしてつくりあげたものだった。

「塁」ではなく「モーション」を盗む

盗塁は「3S」が大切だといわれる。スタート、スピード、スライディングの三つである。なかでも大事なのはスタートで、この巧拙で七、八割方、成功するか失敗するかは決まるといっても過言ではない。

「盗塁で大切なことは何か？」

福本に訊ねたことがある。

「眼(め)です」

福本は答えた。ピッチャーは、セットポジションに入ったときに牽制するかどうか決めている。そして、牽制するときは、バッターに投げるときとは身体の動きに微妙な違いが生じる。そのクセを見抜くことが、盗塁を成功させるカギだというのである。

「ピッチャーの背中が教えてくれる」——福本は話していた。そう、盗塁とは、「塁を盗む」のではない。「ピッチャーのモーションを盗む」のだ。

これは、キャッチャーにもいえることである。自慢ではないが、私はピッチアウトの成功率はナンバーワンだと思っている。ランナーが走ってくるかどうかを見極めるのは非常に得意だった。

ここでも大切なのは「眼」である。走ろうとするときとそうでないときは、ランナーにもクセが出る。右に体重がかかっている者もいれば、左にかかるランナーもいる。走るときは首が揺れる選手もいた。それぞれのクセを知っていれば走るときはわかるから、ピッチアウトすればいい。これで弱肩をずいぶん補ったものだ。中日ドラゴンズとのオープン戦ですべて的中させたら、中日のコーチだった徳武定祐が私の泊まっているホテルまでやってきて、「どうしてわかるんですか?」と訊かれたほどだ。「企業秘密だから」と教えなかったが……。

話を戻すが、極論すれば、盗塁に足の速さは関係ない。昔、ロッテオリオンズ（現千葉ロッテマリーンズ）に飯島秀雄という選手がいた。東京、メキシコ五輪の百メートル走日本代表で、百メートル十秒一の快足を買われ、代走要員として入団した。

結果はどうだったかといえば、三年間で百十七試合に出場し、二十三盗塁。失敗が十七回もあった。成功率は六割に満たない。スタートが下手だったのである。ボールがミットに入ってから走るという感じだった。ピッチャーのモーションを盗むことができなかったのだ。

「一塁コーチが『よーい、ドン!』と言ってやればいいのに……」

そう思ったものだ（とはいえ、彼が塁にいるとバッテリーには相当のプレッシャーになったようで、そのときのバッターの打率は四割をはるかに超えていたそうだ）。

むしろ重要なのは、次を打つバッター、とくに二番の存在だ。ときには自分を殺して、走るまで待たなければならない。福本のあとの二番は大熊忠義が入ることが多かったが、彼はつねに福本優先。敵ながらじつにいいコンビだった。広瀬は三番を打つこともあったので、四番の私は「出たら走るのか？」といつも確認していた。柴田勲と土井正三（しょうぞう）（もしくは黒江透修（ゆきのぶ））の一、二番なくして巨人の九連覇はありえなかったし、近年では中日の荒木雅博（まさひろ）と井端弘和（ひろかず）が印象に残る。

侍ジャパンも機動力がカギ

盗塁に足の速さが関係ないというのは、お世辞にも駿足とはいえないこの私が、百十七個も盗塁を決めていることでもわかるだろう。そのなかにはホームスチールも七個含まれている。

私の場合は、モーションを盗むというより、ピッチャーの虚をつくという感じだろうか。最初はスタートするふりをしてやめる。相手はまさか私にかぎって走ってくるはずがないと思い込んでいるから、ピッチャーは、「ノムさん、何やってんの？」という顔をする。そこで次はそのまま本塁まで行ってしまうのである。もっとも、同じ相手に二度は通用しなかったが……。

それはともかく、だから足が遅く、盗塁に意欲を見せない選手にはよく言ったものだ。

「塁間は約二十八メートルだ。足の速い選手と〝よーい、ドン〟で走って、いったいどれだけ離されると思うか。そこをよく考えてみろ。二メートル、三メートル離されることはないだろう。ちょっとスタートを早く切れば、セーフになるぞ」

あとはスタートを切る勇気があればいい。私が監督のときは、「走るな」というサインはあっても、盗塁のサインはなかった。自由に走らせた。もしアウトになっても、「ここはやめておけ」というサインを出さなかった監督の責任だと思っていた。「失敗したら……」とマイナス思考になっては、盗塁は絶対にできないからだ。

ワールドベースボールクラシック（WBC）をはじめとする国際大会で日本が優勝を狙うためにも、機動力の活用は不可欠だ。とくにアメリカの球場は広い。つねに先の塁を狙う意欲が大切になるし、広い守備範囲も求められる。加えて外国のピッチャーのセットポジションは往々にして隙だらけで牽制も雑。中田翔（しょう）や筒香嘉智（つつごうよしとも）のような選手であっても、盗塁が成功する確率は高いだろう。問題は、代表を率いる監督がそこに気づくかどうかだが、果たして？

5　助っ人外国人は必要か？

はじめて〝ガイジン〟を見たのは、戦争が終わってすぐのことだった。家の近所の宮津（京都府宮津市）という駅に行くと、アメリカ兵が——どういうわけか、私はドイツ人だと思い込んでいたのだが——いたのである。

正直、最初は怖かった。「殺されるんじゃないか」と思った。でも、それから私の町にも進駐軍がどんどん入ってきて、小学校のグラウンドで野球をやっているのを見たりしているうちに恐怖心は消えていった。ときにはチョコレートをくれたり、彼らはとても人懐こかった。

それから約七十年。いまや外国人の姿は少しもめずらしくなった。それはプロ野球の世界も同じ。どのチームにも複数の外国人選手が在籍している。そこで、外国人選手について思うところを述べたいと思う。

日本プロ野球史上初の〝外国人選手〟は、ヴィクトル・スタルヒンだという。ロシア革命で祖国を追われ、日本に亡命したロシア人で、沢村栄治さんとともに巨人、いやプロ野球の創成期を支えた右腕である。

私はスタルヒンが投げるのを見たことがある。二軍にいたころだから、一九五〇年代半ばのことだ。当時スタルヒンは高橋ユニオンズというチームにいたと記憶しているが、二軍の試合が終わってからネット裏で見た。もう晩年だったから、すごいボールを投げていたという印象はないが、「でかいなあ……」と驚いたのだけは憶えている。グローブが小さく見えた。

このスタルヒンを嚆矢として、その後数多くの外国人が日本でプレーした。そのなかには、日本プロ野球の発展に影響を与えた選手も少なくない。とりわけ大きな貢献を果たしたのがダリル・スペンサーとブレイザーことドン・ブラッシンゲームだろう。このふたりは、それまでの日本野球に革命をもたらした——そういっても過言ではないと私は考えている。

日本野球に知性を持ち込んだふたりの外国人

一九六四年、阪急に入団したスペンサーは、ニューヨーク・ジャイアンツなどで活躍したメジャーリーガーだった。なにより彼は、荒っぽいプレーで記憶されているだろう。

かつて巨人に在籍していたハワイ生まれの日系二世の与那嶺要さんが、アメリカンフットボール仕込みのタックルのようなスライディングを日本に持ち込んだが、スペンサーのそれは、百九十センチ、九十キロという巨体も相まって、多くの野手を恐怖に陥れたものだ。私もホームに突っ込んできた彼の体当たりをまともに受けて吹っ飛ばされたことがある（それで思い出したが、かつて南海に森下整鎮というサードがいた。非常にガッツのある選手で、日本シリーズで与那嶺さんのスライディングでボールを弾かれると、なんと与那嶺さんの身体を押さえつけてホームに行くのを阻止しようとしたことがあった。森下はしばしばそういうことをしたが、相手が抗議しても「プレーの延長」との判断で一度も走塁妨害をとられなかった。それは見事だった）。

だが、じつはスペンサーの真骨頂はインテリジェンスにあった。打順を待っているとき、彼はネクストバッターズ・サークルに入らず、いつもキャッチャーの斜め横に立っていた。ピッチャーの配球やクセを見抜くためである。たとえば、グラブが真っ直ぐ立っていたらストレート、わずかに傾いていたら変化球というように……。そうして得た情報をバッターにも伝えようとした。

スペンサーに感化されたほかの選手も、こぞってピッチャーのクセを探すようになった。スペンサーがやってきてから、万年Bクラスといってもよかった阪急の野球が明らかに変わったのを私ははっきり憶えている。

スペンサーは一九六八年に退団したが、七一年にコーチ兼任で復帰。翌年帰国する際には、自身が集めた情報をメモにしてチームに残したという。阪急が毎年のように巨人と日本一を争うようになり、その後上田利治のもとで日本シリーズ三連覇を達成したのには、スペンサーの存在も大きく貢献していたに違いない。

スペンサーといえば、こんな思い出もある。一九六五年、戦後初の三冠王を目指す私の前に立ちはだかったのがスペンサーだった。ホームラン部門で猛追してきたのである。十月にスペンサーがバイク事故に遭い、欠場を余儀なくされたことで、タイトルは私に転がり込んできたが、事故がなかったらどうなっていたか。だからなのか、スペンサーは帰国後日本野球関係者に会うと「ノムラはどうしている?」としばしば訊ねたそうだ。

一方、一九六七年に来日したブレイザーが南海に持ち込んだのは〝シンキング・ベースボール〟だった。

「日本の野球は十年後れている。何も考えていない」

そう言ってブレイザーは、状況に応じた進塁打の打ち方、走塁、スライディング、さらには中継プレーまで、われわれが考えたこともなかった概念をもたらした。鶴岡一人監督の精神野球に「これでいいのか？」と疑問を抱いていた私は、彼を食事に誘っては本場仕込みの知識や情報を吸収するとともに野球観を話し合った。

野球とは、たんに投げて打って走るだけのスポーツではない――私はブレイザーにあらためて教わった。だからこそ、一九七〇年に南海の選手兼任監督を拝命した際、ブレイザーをヘッドコーチに迎えることを就任の条件にあげたのだ。彼の提唱する〝考える野球〟に、前年最下位のチームの活路を見出そうと考えたのである。

「外国人で大丈夫なのか？」という声も少なくなかった。だが、それは杞憂に終わった。

「バントのサインが出た。きみたちは何を考える？」

選手たちを前にしたブレイザーは訊ねた。誰も答えられなかった。ブレイザーは言った。

「一塁側と三塁側、成功率の高いほうに転がしなさい」

ヒットエンドランについてもこう命じた。

「二塁のカバーにセカンドが入るのか、ショートが入るのかを読んで、カバーに回るほうに打球を転がすのだ」

そんなことを考えたこともなかった選手たちは、目を白黒させてブレイザーの〝講義〟を聴いていた。元巨人の広岡達朗さんですら、「ブレイザーはどういうことを教えているんだ？」と私に会うたびに訊ねてきたものである。

外国人選手の成否を分けるのは？

これまで何人の外国人選手が来日したのかは知らない。スペンサーやブレイザーのように日本野球を変えたり、あるいは献身的な働きをしたりしてファンからも愛された選手もいれば、わずか数週間で日本を去っていった選手もいた。

では、日本で成功する選手と期待はずれに終わる選手の差は何か——。それは日本人選手と変わらない。「頭」である。「野球頭脳」である。

一九七〇代後半から八〇年代半ばまでロッテのクリーンナップを打ったレロン・リーや、八〇年代に巨人で活躍したウォーレン・クロマティ、近年では外国人初の二千本安打を記録したアレックス・ラミレスのバッティングにも頭のよさを感じたものだが、その代表としてあげたいのは阪神のランディ・バースだ。私はメジャーをお払い箱になって日本にやってくる選手にいい印象を持っていないのだが、そんな私でもバースは「本物だ」と認めざるをえなかった。

バースはホームランバッターでありながらも広角に打ち返すだけでなく、たいがいの外国人バッターなら手を出してくる高めの空振りゾーンや外角低めの凡打ゾーンの誘い球にも乗ってこなかった。相手バッテリーの配球をしっかり読んで、追い込まれるとそれまでのフルスイングから一転、ミート中心のバッティングに切り替えることもできた。三冠王を二度も獲得できた理由は、そうした頭のよさにあったと私は考えている。

一九九五年、私が率いていたヤクルトに移籍してきたトーマス・オマリーも頭がよかった。オマリーは、阪神を解雇されたのを私が要望して獲得した左バッターだった。解雇の理由は「ホームランが少ない」ことだったらしいが、監督としてはホームランを一本打つよりヒットを十本打ってくれるほうがありがたい。オマリーは広角に打てるし、選球眼がよく、ピッチャーのクセを見抜くのにも長けていた。だからピッチャーの変化球にも巧みに対応でき、出塁率もリーグ最高だった。果たしてオマリーは打率三割二厘、三十一本塁打をマークして日本一に大きく貢献してくれたのだった。

バレンティンが六十本打てた理由

「王の記録が外国人に破られるのはおもしろくない」

二〇一三年、ヤクルトのウラディミール・バレンティンが王貞治（およびタフィ・ローズとアレックス・カブレラ）の持つ年間最多本塁打記録（五十五本）を塗り替えようとしていたとき、私は言った。

誤解しないでほしいが、その理由はバレンティンが外国人だからではない。バレンティンが穴だらけのバッターだからである。そのようなバッターに記録を更新されるのは、日本プロ野球のレベルの低さをみずから認めるようなもの。恥といってもいいのである。

みなさんは、もっとも御しやすいのはどのようなバッターだとお思いか？　答えはこうだ。

「選球眼の悪いバッター」

ローズやカブレラにもそういう傾向があったが、バレンティンはスライダーでもフォークでも、見境なしにブンブン振ってくる。ならば一、二球目にストライクさえ取れれば、もうこっちのもの。あとは全部ボール球で誘えばいい。勝手に手を出してくれる。本来、非常に処しやすいバッターなのである。

ところが、セ・リーグ各チームのバッテリーはそういう攻め方をせず、真っ直ぐ勝負に行ってガツンとデカいのをセンターに放り込まれるケースが多かった。

六十本塁打を打った三年目のシーズン、外に逃げていく球に対してバレンティンのバットは止まるようになった。甘く入った外角球は無理に引っ張らず、右方向に打ち返すようにもなった。これを、各チームのスコアラーやバッテリーは「選球眼がよくなった」と評した。

しかし、私にいわせればそうではない。日本流の攻め方に慣れ、ヤマが当たるようになったのだ。「こういう状況では自分にストレートは投げてこない」というふうに、配球がそれなりに予測できるようになったにすぎない。そこに、よく飛ぶといわれた統一球の変更が重なり、六十本塁打という数字になったのである。

逆にいえば、各バッテリーの無策ぶりが大きく貢献したわけだ。バレンティンの変化に気づき、もう少し攻め方を工夫していれば、ホームランは防げたはずなのである。だから私は「おもしろくない」といったのだ。

外国人選手は必要か？

「そろそろ外国人に頼るのはやめたらどうか――」

近ごろ、私はそう感じている。

監督としての私は、オマリーを除くと外国人選手に恵まれたとはいえなかった。〝助っ人〟と呼べる働きをしてくれたのは、ヤクルト時代のジャック・ハウエルとテリー・ブロス、楽天のリック・ショートくらいか。ヤクルトで一年目は予想をはるかに上回る活躍を見せたドゥエイン・ホージーという選手は、二年目はさっぱりだった。一年目とは別人としか思えなかったので、「双子じゃないのか？」と冗談を言ったくらいだった。阪神時代はとくに記憶に残っている選手はいないし、楽天のトッド・リンデンという選手にいたっては素行不良もいいところ。やはり楽天が一億円を払って獲得した台湾人左腕は、一勝もあげられずに解雇された。

むろん、獲得にあたって私は、「長打力のある外野手を獲ってくれ」というようなリクエストを出す。にもかかわらず、どうしてこういう結果になるのか……。

ひと言でいえば、ろくに調べないからだ。長いこと監督業をやってきたが、リストにあがった選手を球団の担当者が直接見に行くことはまずなかった。代理人やスカウトの情報を鵜呑みにするだけで、ビデオすら見ない。そのため、ヤクルト時代には外野手という触れ込みで獲得したジョニー・レイという選手が、来日してみたら二塁手だったというケースもあった（その結果、セカンドの飯田哲也を外野にコンバートすることになり、それが飯田にもチームにも奏功したのだが……）。

　こうした状況はいまもそう変わっていないようだ。依然として代理人に任せっきりという球団は少なくない。結局、担当者が自分の金を使うわけではないから、カスをつかまされても痛くも痒くもないのだ。

　加えて、現在は出場登録できる外国人選手は四人までと決まっている（投手・野手ともに同時登録できるのは三人まで）が、獲得人数には制限がない。つまり、「下手な鉄砲も数撃ちゃ当たる」というわけで、ろくに調査もせずに「とりあえず獲っておいて当たれば儲けもの」という傾向がますます強まっている気がする。

　断っておくが、私は「外国人はいらない」と言っているのではない。強いチームをつくるには、むしろ必要だと考えている。足が速い、速い球を投げる、打球を遠くに飛ばすというのは、天性である。いくら努力しても限界がある。外国人のパワーと遠くに打球を飛ばす能力は、日本人に太刀打ちできないものがある。また、計算できるピッチャーはどのチームもひとりでも多く欲しいので、外国人を補強するのもひとつの方法だ。

が、それ以外のポジションで外国人に頼る必要はないと私は考える。昨今は外国人打者を一、二番、さらには下位打線に起用しているケースがあるが、それならば「日本人選手を使ってやれ」といいたい。クリーンナップ以外は日本人選手で充分務まるどころか、細かさ、器用さという点で外国人より適しているといっていい。にもかかわらず外国人を使っては、若い選手の出場機会を奪い、成長を妨げることにもなりかねない。

二〇一四年のデータだが、十二球団が外国人選手に支払った年俸の総額は約七十四億円だったという。

むろん、金額に見合う活躍をした選手もいただろうが、金をドブに捨てたようなケースもあった。「メジャーリーガーだから」「アメリカで実績があるから」という理由だけで、不見転（みずてん）で獲得するのは、私がはじめて外国人を見て恐怖を感じたときから、あるいはスタルヒンを「でかいなあ」と思ったときの感覚から、何も変わっていないに等しい。それでは外国人選手が日本の野球をなめてしまうし、球界のレベルアップにもつながらない。

いまや日本人選手が次々とメジャーに行き、メジャーが日本の細かい野球を〝逆輸入〃する時代である。

せっかく高い金を払うのなら、日本プロ野球の発展に寄与するような選手を連れてこい――私はそういいたい。

6　完全試合はなぜ減ったのか

私は十八歳でプロの世界に入り、実働二十六年、四十五歳まで現役を続け、三千十七試合に出場した。通算出場試合数は二〇一五年に谷繁元信(たにしげもとのぶ)に抜かれたものの、それまでは三十五年間にわたって歴代一位だった。

数々の記録を達成した私が、ついに一度も経験できなかったことがある。完全試合である。キャッチャーとして私は、一度も完全試合を経験できなかった。

説明するまでもないだろうが、完全試合＝パーフェクトゲームとは、相手チームのバッターをひとりも塁に出さないで勝つことをいう。ヒットはもちろん、四死球やエラーも許されない。最低でも二十七人のバッターをすべて凡退させなければならない。

キャッチャーとして試合に臨む際は、いつも完全試合をする心構えでいた。けれども、ノーヒットノーランすら一度もできなかった（ヤクルト監督時代には一九九五年にテリー・ブロス、九七年に石井一久(かずひさ)が達成するのを見届けたが）。自分がいかにへボキャッチャーであったかを証明するようなものだが、とはいえ日本でプロ野球がはじまって八十有余年、その間に四万試合以上が行われたそうだが、そのなかで完全試合は何試合あったか――。

たった十五試合である。達成順に名前をあげれば、一九五〇年の藤本英雄さんを皮切りに、武智文雄、宮地惟友、金田正一、西村貞朗、島田源太郎、森滝義巳、佐々木吉郎、田中勉、外木場義郎、佐々木宏一郎、高橋善正、八木沢荘六、今井雄太郎、槙原寛己の十五人になる。二度記録したピッチャーはいない。四死球やエラーで出塁を許したノーヒットノーランは、完全試合十五試合を含めて九十二回記録されているから（沢村栄治さんと外木場は三回記録、二回達成は金田さん、鈴木啓示ら七人いる）、完全試合がいかに難しいか、どれだけ奇跡的なことであるかわかるだろう。

完全試合が生まれる条件とは？

完全試合は、よほどの条件と運そして偶然に恵まれないかぎり、生まれるものではない。

絶対条件としてまず、コントロールがよくなければいけない。達成者のほとんどと私は対戦したことがあるが、多くは技巧派だ。いわゆる本格派は、金田さん、外木場、槙原くらい。豪速球で三振をたくさんとるピッチャーは、往々にしてコントロールに難があるため、フォアボールが避けられない。だから、ノーヒットノーランは達成できても、完全試合となると難しいのである。

それ以上に必要不可欠なのが運だ。最初の達成者である藤本さん（巨人）は、その日先発予定だったピッチャーが体調不良になったため、急遽（きゅうきょ）代役としてマウンドに上がったと聞く。前の晩はほぼ徹夜で麻雀をしていたそうだ。ベストコンディションではなかったことで、いい意味で力が抜け、それが奏功したのではないか。

佐々木吉郎（大洋）の場合も、三原脩監督がいわゆる〝あて馬〟で先発させたのだという。佐々木はダブルヘッダーの第一試合の二番手で投げるはずが、負け試合で出番がなかった。第二試合の先発は左腕の小野正一（しょういち）さんの予定だったが、相手の広島が右打者を並べてくるのが予想されたので、右の佐々木を先発させておき、右打者を引っ込めたら小野さんに交代させるという作戦だった。ところが一回を三人で抑えたので、「打たれるまで投げてこい」と言われ、そのまま投げ切ってしまったそうだ（ちなみに、三原監督はこの試合を含めてなんと四回も完全試合の指揮を執ったという）。

逆に運がなかったのは、なんといっても西武の西口文也だろう。二〇〇五年、西口は九回まで楽天打線をパーフェクトに抑えながら、味方も点を取れずに迎えた延長十回、先頭打者にヒットを打たれ、大記録は幻となった（西口は二〇〇二年のロッテ戦と二〇〇五年の巨人戦で、いずれも九回二死までノーヒットピッチングを続けたが、最後のひとりにヒットを許してノーヒットノーランを逃したこともある）。

これはノーヒットノーランにもいえることだが、ヒット性の当たりであっても野手の正面を突いたり、ファインプレーが飛び出したりすればアウトだし、逆に完全に打ち取った打球でも、転がりどころやグラウンドの状態によって内野安打になったり、イレギュラーしたりすれば記録はフイになってしまう。

別所毅彦さん（巨人）は一九五一年の松竹戦で、九回二死から代打で登場した神崎安隆というプロ二年目のブルペン捕手にヒットを許して偉業を逃したが、これは、フルカウントからかろうじてバットに当てた緩いショートゴロが前夜の雨で軟弱になっていたグラウンドによって勢いを殺され、内野安打となったものだった。皮肉なことに神崎さんはこれがプロ唯一のヒットだという。

一九六二年、阪神相手にやはり九回二死まで完全試合を続けていた村田元一（国鉄スワローズ＝現ヤクルト）も、最後のバッターのファーストゴロが落ちていた小石に当たってイレギュラーバウンドとなり、快挙を逸している。

記録を調べると、九回二死で完全試合を逃したピッチャーには、別所さんと村田のほかに、田宮謙次郎さん（阪神）と杉内俊哉（巨人）がいる。田宮さんは、いわゆるバスターでダッシュしてきた三塁手の頭を越され（達成していれば完全試合第一号になるはずだった）、杉内はフォアボールを与えてノーヒットノーランに終わった。

メジャーリーグの話だが、二〇一三年にダルビッシュ有（テキサス・レンジャーズ）がヒューストン・アストロズを二十六人まで完璧に抑え、あと一人で偉業達成というときに自らの股間を打球が抜けていって逃したケースもある。

ダルビッシュは翌年にもボストン・レッドソックス戦で九回二死からノーヒットノーランを逃しているが、ノーヒットノーランなら、私もあとひとりで達成という場面に遭遇したことがある。

一九五七年、南海でレギュラーになったばかりの年で、ピッチャーは一期下の田沢芳夫、相手は阪急だった。九回二死の場面で代打として出てきたのは滝田政治さん。私は神に祈るような気持ちでカーブのサインを出した。それがど真ん中に来て、ライトオーバーのツーベースを打たれた。

九回二死で快挙を逃すケースが意外に多いのは、「あとひとり打ち取れば記録達成」ということで欲が出るのだろう。欲が先行して、自分を見失ってしまうのだ。頭が真っ白になって、ただキャッチャーのサイン通りに何も考えずに投げる。ボールは正直だ。嘘をつかない。ピッチャーの意思が伝わらないから棒球になったり、投げてはいけないところにボールが行ってしまったりする。あるいは、フォアボールを出したくないあまり、ボールを置きにいったり、コースが甘く入ったりしてしまうのである。

欲を持つことは決して悪いことではない。だが、最後はそこから離れなければならないのだ。欲を自制する力、それを「セルフ・コントロール」と呼ぶのである。

二度も完全試合をやられた私

完全試合のマスクをかぶった経験はない私だが、達成されたことはある。しかも、まことに不名誉なことに二回もだ。一度目は一九六六年、西鉄の田中勉に、二度目は一九七〇年、近鉄の佐々木宏一郎にやられた。どちらも地元・大阪球場だった。

田中は本格派といっていいピッチャーで、私は彼のスライダーが苦手だった。真っ直ぐに近いスライダーで、バッターの手前でシュッと逃げていく。咄嗟に身体が反応できない私には攻略が難しかった。それでも八回裏、その試合で四番を打っていた私は、田中を強襲する強い打球を放った。打球はグラブを弾き、スタンドはどよめいたが、ショートにうまく処理されてしまった。

一方の佐々木はアンダースローの技巧派。「いつでも打てる」と思わせる典型的なピッチャーだった。余談だが、佐々木は大洋を一年で解雇され、近鉄にテスト入団した。解雇の理由は、社会人から鳴り物入りで前述の佐々木吉郎が入団してきたため、「佐々木がふたりいるのは煩わしいから」という理不尽なものだったらしい。そのふたりの佐々木がともに完全試合を達成したのだから運命というのはじつに不思議なものだ。

だが、佐々木のようなタイプのピッチャー、「打たせて取ろう」と謙虚な気持ちでピッチングをしてくるタイプが、じつは厄介なのである。

相手が本格派のいいピッチャーであれば、「打ち崩すのは難しいから、しっかり対峙しなければいけない」という意識がバッターに生まれ、最初からおのずと高い集中力を持って打席に臨む。完全試合達成者に「大投手」と呼ばれるピッチャーが意外なほど少ないのは、このあたりに理由があるのではないかと思う。

対して、「この程度のピッチャーならいつでも打てる」と思うと、どうしても油断してしまう。「そのうち打てる」と気楽に考えているうちにあれよあれよとイニングが進み、慌てたときにはもう手遅れ……ということが起きやすいのである。

それはともかく、完全試合を意識したのは六、七回くらいだったと思う。ピッチャーに訊ねても、だいたいそのあたりから頭にちらつくらしいが、イニングが進んでいくにつれ、攻める側には焦りが生じる。「誰か早く一本打ってくれ」と願うような気持ちになる。

こうなると、監督は「よく球を見ろ」という指示くらいしか出せない。佐々木にやられたとき、私は選手兼任監督になって一年目だったが、やはりそうだった。

ただ漠然とボールを見ているのと「しっかり見る」という意識をもって睨みつけるのとでは、結果は違ってくる。プロのバッターというものは、毎日ボールを見ていて習慣になっているからなのか、ふだんは意外に「ボールをしっかり見る」という意識を忘れがちだ。

だから、「しっかりボールを見ろ」と指示するのは、冷静になれという意味でも理にかなってはいるのだが、バッターは焦りが先立っているから、どうしてもボールから目を離してしまう。あるいは力んでしまう。結果として凡打に終わり、ますます焦りが募り……そういう悪循環にはまってしまうのだ。

実際、佐々木に対して、われわれは「いつでも打ち崩せる」と考えていた。三振は三つ四つしかとられなかったはずだ。代わりに内野ゴロの山を築かされた。

「こんなピッチャーにやられるなんて……」

試合が終わったとき、とても恥ずかしかったのをいまでも憶えている。

完全試合はなぜ減ったのか?

さて、最後に完全試合を達成したのは一九九四年の槙原(巨人)だから、二十六年も記録されていないことになる。槙原のときも、一九七八年の今井(阪急)以来十六年ぶりだった。それまでは平均すれば三年に一度くらい記録されていたから、近年激減しているといっていい。これには何か理由があるのだろうか。

やはりバッティングのレベルが総体的に向上したことが大きいと思う、技術もさることながら、〝バッティング頭脳〟が大いに進化した。

鶴岡一人監督時代の南海でいえば、相手バッターをどう攻略するかというミーティングはあっても、相手ピッチャーをいかにして打つかというミーティングはまったくやらなかった。気合と根性さえあればなんとかなるという感じで、打てなかったら

「ぶつかっていけ！」。データを活かすこともなかった。ほかのチームも大差なかったと思う。

対して、いまはどのチームもデータやビデオを活用し、ピッチャーを丸裸にする。あらゆる角度からピッチャーにゆさぶりをかけ、対策を練る。以前より達成が困難になっているのは事実だろう。

メジャーリーグでは二〇〇〇年代だけでも七度記録されているが、これは、日本より球団が多く（三十球団）、試合数自体が多いこと、それゆえ同じピッチャーと対戦する機会が少なく、日本のように熱心に相手ピッチャーを研究しないからではないか。

完全試合をするとピッチャーはダメになる？

「完全試合をしたピッチャーは大成しない」

「完全試合をやるとダメになる」

球界にはそういうジンクスがある。事実、十五人のうちで二百勝をあげたのは藤本さんと金田さんだけ。稲尾和久も杉浦忠も記録していない。失礼ながら、完全試合をしていなかったら球史に名前が残らないようなピッチャーも少なくない。それはなぜなのか。完全試合で運を全部使い果たしてしまうのだろうか？

　思うに、完全試合を達成したという事実がいつまでもピッチャーの脳裏に焼きついているからではないか。「もう終わったこと、過去のこと」だと忘れようと努力はするのだろうが、あまりにその記憶が甘美なので忘れられないのである。「もう一度やりたい」という欲も出るだろうし、「自分は一流のピッチャーなんだ」と錯覚し、慢心する者もいるだろう。

　バッターのほうも、一度完全試合をされれば、もう油断はしない。「二度はやられるものか」と大いに奮起し、徹底的に研究する。それがプロというものだ。

　ともあれ、ピッチャーにとって完全試合は大きな勲章である。前述したように、よほどの条件が揃わないかぎり、望んでもできることではない。相手打線の調子にも左右される。チャンスが目の前に訪れればなんとかして達成したいと願うのは当然だし、監督や周囲もできるかぎり夢を叶えさせてやるべきだと私は思う。

　二〇〇七年の日本シリーズ第五戦で、八回終了まで日本ハム打線をパーフェクトに抑えていた中日の山井大介を、監督の落合博満が交代させたことがあった。舞台は日本一がかかった試合で、点差は一点。勝負に徹するのが監督の務めだとすれば、落合はおそらく正しかったのだろう。

しかし日本シリーズでの完全試合は過去に誰も成し遂げていない大記録。後世まで名前が残る。私が監督だったら絶対に代えない。落合も、少なくともヒットを打たれるまで、同点になるまでは待ってよかったし、山井も「投げさせてくれ」と直訴してもかまわなかったと思う。「最近の選手はやさしくなったな」と感じたものだ。金田さんだったら激怒して大爆発したに違いない。山井は「マメがつぶれた」と殊勝なことを言っていたが、いまは後悔しているのではないか。

幸いなことに、近年の球界は、大谷翔平（しょうへい）を筆頭に大いなる可能性にあふれたピッチャーが少なからず台頭している。十六度目の夢の大記録が生まれることはあるのだろうか？

7 日本人メジャーリーガー論

二〇一六年、ダルビッシュ有、田中将大(まさひろ)に続いてまたひとり、日本プロ野球界を代表するピッチャーが海を渡った。広島のエース、前田健太がロサンゼルス・ドジャースに移籍したのである。

私の現役時代と現在のプロ野球を比較して、隔世の感があるのは、なんといっても日本人選手がメジャーリーグでプレーしているのが、あたりまえの光景になったことだ。

私が現役だったころは、メジャーの試合を観ることはもちろん、情報すら満足に入ってこなかったし、日米野球でもまったく歯が立たなかった。正直、こんな時代が来るとは、当時は夢にも思わなかった。

初の日本人メジャーリーガー、マッシー村上

ご存じだとは思うが、日本人メジャーリーガー第一号となったのは、〝マッシー〟こと村上雅則（まさのり）である。

村上は一九六三年、神奈川・法政二高から南海に入団した左腕ピッチャーだった。スピードはなかったが、なかなかおもしろいボール――おそらくスクリューボールだと思う――を投げた。

そのころ、サンフランシスコ・ジャイアンツのスカウトか何かをしていたキャピー原田さんという人が南海の鶴岡一人監督と懇意にしていて、彼の口利きで、村上を含む三人の若手ピッチャーを留学生として預けることになった。一九六四年のことだった。

村上はジャイアンツ傘下の1Aフレズノというチームで主にリリーフとして登板、まずまずの成績をあげた。するとシーズンも終盤に近づいた八月末、突然ジャイアンツからお呼びがかかったのである。

そのニュースが日本に入ってきたときは、大変な騒ぎだった。なにしろ、先ほど述べたように、当時の日本プロ野球界にとってメジャーリーグはまさしく別世界。そこ

で日本人がプレーするなんてありえないことだと信じ込んでいたからだ。

「あの程度でメジャーに行けるのか？」

はっきりいえば、そういう驚きもあった。

村上が一躍メジャーに引き上げられた理由はもちろん、活躍が認められたからだろうが、原田さんに聞いたところでは、サンフランシスコは日系人や日本人が多いので、村上を入団させることで日系のファンを増やそうという狙いもあったそうだ。それで、左バッター用のワンポイント的なリリーフとして起用することにしたのだという。メジャーでは、九月一日からベンチ入りできる選手の枠が増えることも村上に奏功した。

いずれにせよ村上は昇格当日の九月一日、シェイスタジアムでのニューヨーク・メッツ戦で初登板。二十九日にはヒューストン・コルト45's（現アストロズ）から初勝利をあげる。翌シーズンもサンフランシスコに残り、トータルで五勝一敗、九セーブ、防御率三・四三という成績を残して帰国した。

「どんなピッチャーに成長したのだろう……」

私は楽しみにしていた。ところが、キャンプで見たら、たいして変わっていない。英語も片言だ。変わったのは、以前は上から投げていたのが、左バッター対策のためにサイドスローになっていたこと、それからチューインガムを嚙みながら投げるようになったことくらいだったので、がっかりした憶えがある。

メジャーへの道を拓いた野茂

村上はたしかに日本人初のメジャーリーガーではあった。とはいえ、いってみれば〝結果的に〟そうなった選手。特殊なケースであった。

実際、村上に続く選手は現れなかった。

「もしONがメジャーに行ったら通用するか」

われわれ選手のあいだでもよく話題になったけれども、「まあ、無理だろう」というのが結論だった。「王でもホームランを二十本打てるかどうかだろう」と……。まだまだアメリカと日本の距離は遠かった。

その距離を一気に縮めたのが野茂英雄（のもひでお）だった。村上のメジャー・デビューから約三十年後、一九九五年のことである。代理人として野茂の渡米をサポートしたのが、私の義理の息子である団野村だった。

「日本のプロ野球の邪魔をしますけど――」

電話をかけてきた団がそういったのを憶えている。

「野茂は通用しない」

ほとんどの評論家や関係者はいった。だが、私の意見は違った。野茂はフォークボールという武器を持っている。メジャーではほとんど投げるピッチャーがいないのに加え、バッターは上半身のパワーに頼りがちだ。

「あのフォークには対応できない――」

私は確信していた。

果たしてロサンゼルス・ドジャースに入団した野茂は、一年目から十三勝六敗という成績で地区優勝に貢献。最多奪三振と新人王に輝き、翌年は十六勝をあげてチームの勝ち頭となり、ノーヒットノーランも達成した。

その年、やはり団がエージェントを務めたマック鈴木がメジャー昇格（シアトル・マリナーズ）を果たしたのを皮切りに、九七年に伊良部秀輝（ニューヨーク・ヤンキース）、長谷川滋利（アナハイム・エンゼルス）、柏田貴史（ニューヨーク・メッツ）、九八年には吉井理人（ニューヨーク・メッツ）と、日本人メジャーリーガーが続々と誕生したのは、野茂の活躍があったからこそだったのは間違いない。野茂が日本人選手の実力をメジャー関係者に知らしめ、メジャーへの道を切り拓いたのだ。

バッターが成功しない理由

その後、メジャーリーグの試合に出場した日本人は五十人を超えるようだ。そのなかには、ダルビッシュやイチローのように誰もが認める超一流もいれば、「なぜこの選手が？」と不思議に思う選手もいるが、総じて成功したといえるのは、ほとんどがピッチャーである。

彼らに共通した特徴は何かといえば、私が「原点能力」と呼ぶところの外角低めに投げられるコントロールと、相手の嫌がる球種を最低ひとつは持っていることだ。佐々木主浩しかり、上原浩治しかり、黒田博樹しかり、ダルビッシュしかり、田中将大しかり……。逆にいえば、このふたつを備えているピッチャーなら、メジャーでも充分通用するということである。

ところが、バッターはどうか。成功と呼べるほどの成績を残したのは、はっきりいってイチローだけ。松井秀喜もその範疇に入れていいとは思うが、彼が日本に残っていたらどれだけの成績を残していたかと想像すると、やはり物足りなさは拭えない。

どうしてバッターが活躍するのは難しいのか――。やはりパワーの不足が原因だと思う。

メジャーのピッチャーが投げるボールは、同じ百五十キロであっても、日本人のそれとは質が違う。日本人に較べると、重いのである。私も日米野球で痛感したが、芯で捉えても、ズシーンという衝撃が来る。日本人ピッチャーのボールならカーンと弾き返せるのに、向こうのピッチャーが相手だと、スピードと重みでバットがグッと押される感じがするのである。

だから、松井のように日本ではホームランを四十本、五十本打てるバッターであっても、アメリカでは中距離バッターになってしまうし、その程度のバッターならいくらでもいるから、わざわざ日本人を獲得する必要もない。イチローや青木宣親のような、足が速く、巧みなバットコントロールで単打を積み重ねるタイプしか結果を残していないのは、それが理由だと私は思う。

将棋とポーカー

「メジャーに行きたいと思ったことはないか？」

そういう質問を受けることがある。

答えは「ノー」だ。というより、メジャーでプレーすること自体、想像しなかった。

「いま現役だったら挑戦するか？」

そう訊かれても、答えはやはり「ノー」である。その理由は、私がキャッチャーであるからだ。

バッテリーのコミュニケーションには言葉が非常に大切である。ところが、私は英語がからきしダメ。むろん、野球用語は英語が多いから、いっていることはおたがい、なんとなくわかる。だから、それなりに意思の疎通はできるのだが、野球で大切なのは細事、小事。レベルが上がれば上がるほど、そこに気づく能力が要求され、それはまた大きな武器になる。

しかし、英語が喋れなくては、小事、細事を相手にうまく伝えることは難しい。たとえ通訳がいたとしても、「もういいや」とあきらめ、言葉を飲み込んでしまう。現役時代、ジョー・スタンカをはじめ外国人ピッチャーのボールをずいぶん受けたものだが、いつもそういうもどかしさがついてまわった。

そしてもうひとつ、「野球観」が違うこと。これも私がメジャーに行きたいと思わない、大きな理由である。

将棋とポーカー——日米の野球の違いは、その違いにあると私は感じている。

とくに配球はそうだ。日本のキャッチャーは、将棋の棋士のように、先の先、裏の裏を読んでサインを出す。対してアメリカは、いわば「出たとこ勝負」。大雑把で、ポーカーのように偶然に支配されるケースも多い。

スタンカとバッテリーを組んだとき、つくづくその違いを感じたものだ。ノーストライク・ツーボール、あるいはワンストライク・スリーボールというボールカウントのときに変化球のサインを出すと、スタンカは必ず首を振った。

「どうしてなんだ！ そんな状況では、バッターは真っ直ぐを待っているに決まっているじゃないか」

私が文句をいうと、スタンカは両手を広げて答えたものだ。

「シカタナイ」

そういう状況をつくったのは自分の責任だ。いちばんストライクを取りやすいボールを投げて、それで打たれたなら「しかたがない」というのである。ブルックリン・ドジャースの名キャッチャー、ロイ・キャンパネラに会ったときも、同じことをいっていた。つまり、メジャーの野球観、ピッチング観と私のそれは、根本的に相容れないのである。

メジャーでプレーした日本人キャッチャーは、シアトル・マリナーズの城島健司（じょうじまけんじ）だけだと思うが、彼がレギュラーを張れたのは、性格とリードが日本人的な緻密なものではなく、アメリカ人に近かったからに違いない。

「ならば、バッターとして挑戦する気はないか」といわれても、私はデータをもとに狙い球を絞るタイプ。メジャーはチーム数が多く、同じピッチャーと対戦する機会は少ない。その点でも、メジャーでやる自信はないというのが正直なところなのである。

だから私は、いま現役であってもメジャーに挑戦する気は毛頭ないのだが、ただ、団は私を「監督」としてアメリカに連れていく夢を持っていたらしい。野球に対する私の哲学や考え方、知識とその実践法、選手の能力の見極め方と活かし方は、メジャーでも充分通用すると考えていたそうだ。

メジャーに行ったら帰ってくるな

「野村は日本人選手のメジャー移籍に反対している」

これまでの発言から、そう思っている方も少なくないかもしれない。

しかし、私だって「メジャーでやりたい」という選手の気持ちはわかる。球団の数が増えたことで、メジャーのレベルは昔に較べれば落ちたとはいえ、総体的には日本より上と認めざるをえないし、待遇は桁違いだ。

だから、移籍を全否定するつもりはないのだが、やはり「日本のプロ野球はこれからどうなってしまうのだろう……」という気持ちが拭い切れないのは事実。いまの日本のプロ野球は実質、メジャーのマイナーリーグと化しているといっても過言ではないからだ。その意味では、野茂はたしかに日本のプロ野球の「邪魔」をした。

一流は一流を育てる――これは私の持論である。一流の選手は一流の選手と競い合うなかから生まれる。一流選手が次々にアメリカに行ってしまっては、日本で一流選手は育たない。必然的に全体のレベルは下がり、見るほうもプレーするほうも魅力を感じなくなってしまう。

以前、落合博満にそういう話をしたところ、彼はこう言った。

「大丈夫だよ、ノムさん。必ず出てくるよ」

つまり、代わりを担う選手が必ず出てくると落合は言うのだが、果たしてそうだろうか……。

もともとメジャーにそれほど興味がなかったダルビッシュがアメリカでプレーすることを選択したのは、こういう理由が大きかったという。

「日本には真剣勝負ができる相手がいないから」

つまり、ライバルが不在ということだ。せっかく日本でやりたいと思っても、おたがいを高め合えるライバルがいなくてはアメリカに行かざるをえないし、そうなれば、大谷翔平がそうだったように、直接アメリカを目指そうと考える選手がますます増えるに違いない。

ならば、私は移籍する選手たちにこういいたい。

「アメリカに行くのはいい。その代わり、帰ってくるな」

落合もそういっていた。「そのくらいの覚悟で行け」ということだ。「メジャーでプレーした選手は、日本の球界には戻れない」――そのくらいのルールをつくってもいいのではないかと私は思う。

近年は日本でプレーする日本人メジャーリーガーが増えている。広島に復帰した黒田博樹のように、あえて日本を選んだ選手もいないわけではないが、ほとんどは向こうのチームをクビになって帰ってきた選手だ。そして、そういう選手がそれなりに通用してしまう。この現実が、日本のプロ野球がメジャーのマイナー化していることをまさしく物語っているといえまいか。

だからこそ、現役選手諸君にはいいたいのである。

「出戻りメジャーリーガーを叩きのめせ！」

アメリカでクビになった選手は日本でも通用しないことを証明すれば、「何もアメリカに行く必要はない、おれは日本でがんばる」と考える選手も現れるだろう。そういう選手が増え、切磋琢磨していくことで、日本のプロ野球はもう一度活性化する。そうなることを、私はＯＢとして、一ファンとして願っているのである。

第三章

チェンジアップをもう一球

「背番号はプロ野球選手の〝第二の顔〟」と話す野村がつけていた19番は、永久欠番になっていない。一九七七年南海での最後のシーズン終了後、大阪府豊中市の自宅で。
（写真提供：産経新聞社）

1　野球＝お金

この章では、ちょっと趣向を変えた話をしよう。いわば〝チェンジアップ〟である。まずは「お金」の話。

以前にも述べたように、私がプロ野球の世界に身を投じたのは、大金を稼いで苦労続きの母親を楽にしてやりたいと思ったからだった。学歴もコネもない自分が高給を得るには、それしかないと考えたのだ。

一九五四年、南海に入団したとき、チームでもっとも高い給料をもらっていたのはおそらく主力バッターだった飯田徳治さんで、月給にして三十万〜五十万円くらいだったのではないかと思う。大卒の初任給が一万円ほどの時代の話である。私がプロ入りした四年後には、東京六大学のスーパースターだった長嶋茂雄が、契約金一千八百万円、年俸二百万円という、当時としては破格の条件で巨人に入団している。

ただし、私の一年目の年俸は八万四千円だった。月額にして七千円。当時、高卒の初任給は六千円程度だったから、それよりは少し上だったが、われわれにボーナスはないし、バットやグラブも自前。さらに合宿費として三千円を天引きされた。

とはいえ、活躍すれば活躍しただけ給料が上がるのがプロの世界。鶴岡一人監督も口癖のように言っていた。

「グラウンドにはゼニが落ちている。人が二倍練習してたら三倍やれ。三倍してたら四倍やれ。ゼニがほしけりゃ練習せえ」

私自身、「ライバルに勝つためには、練習や試合が終わったあとの時間をいかに過ごすかだ」と考えていたから、ほかの選手が休んだり、遊んだりしているあいだもバットを振り、筋肉を鍛えた。人の倍は練習した。

その甲斐あって、二年目は月給一万五千円、一軍に上がった三年目は七万円……という具合に、倍々ゲームで給料は上がっていった。

給料袋が立つようになって一人前

年俸はふつう、月割りにして毎月支払われる。いまは銀行振込だろうが、私の現役時代は毎月二十五日に現金で手渡されるのが常だった。

「給料袋が縦にも横にも立つようになって一人前」

これも鶴岡監督の口癖だった。いくら入っていれば立ったのかは知らないが、私の給料袋が立ったのはたしかである。それを持って、北新地（きたしんち）やミナミの飲み屋にツケを払いに行くのが給料日の慣例だった。

とにかく、稼いだぶんだけ使った。後輩を引き連れて遊びに行くこともしばしばだった。

いまの選手のなかには、株や不動産に投資したり、飲食店などの副業に精を出したりする者がいるかもしれないが、私にはそんな才覚はなかったし、そもそも考えたことすらなかった。周囲にもやっている選手はいなかったと思う。

稼いだカネは一銭も残らず使い切って、自分をハングリー状態に置く——それが「今月もがんばるぞ」というモチベーションになった（一九七八年にロッテに移籍したとき、給料がはじめて銀行振込になったが、物足りない気がしたものだ。働いた気がしないのである。銀行口座をつくったのもこれが最初といってもよかった）。「プロ野球選手になってよかった」と実感したのはやはり、車と家を手に入れたときだった。

はじめて車を買ったのは最初の結婚をしたときで、私は二十六歳。まだ自家用車がめずらしかった。最初は国産車だったが、すぐにフォードに乗り換えた。バカでかい車で、小さなバスくらいあった。信号で止まると、街往く人がみな振り返ったものだ。その車で故郷に凱旋したときも、大きすぎて実家には止められなかった。

　ちなみに、免許は結婚してから、直接実地試験を受けて取得したのだが、運転の練習は独身のころからしていた。もう時効だから白状するが、夜中、大阪市内から中百舌鳥の合宿所までタクシーで帰るときに、「ちょっと運転させてよ」と頼んで代わってもらったのだ。まだ車が少なかったからそんなことができたわけだが、合宿所近くの曲がり角でハンドルをうまく切れなくて、角の家に危うくぶつかりそうになったこともあった。

　家を買ったのもそのころだった。それまでは住宅公団のアパートに住んでいたが、結婚二年目に西宮の甲子園に三百坪くらいの土地を買い、家を建てた。といっても、土地は嫁の父親に買ってもらったもの。私が出したのは建物の費用だけだった。南海の選手は南海沿線に住むのが暗黙の了解だったが、私は阪急沿線に住みたかった。南海沿線よりはるかにイメージがよかったからだ。

二冠王でも年俸ダウン

右肩上がりで年俸が上がっていったこともあって、私の契約はいつも一発更改だった。欲張りだから、提示された金額には一度も満足したことはなかったが、南海は貧乏球団ゆえ、不平を言っても上がる気配はなかったし、あまりゴネて嫌われるのも得ではないと思った。まあ、私の唯一の処世術だったわけだが、おかげで「野村はカネにきれいだ」とよくいわれたものだ。

けれども、そんな私でもどうしても納得できない年があった。一九六四年、私は四十一本塁打、百十五打点をマークして三年連続の二冠王になった。チームも日本シリーズで阪神を下し、日本一に返り咲いた。

「どれだけ年俸が上がるか、楽しみだなあ……」

期待に胸を膨らませて契約交渉に臨んだ。ところが、球団の提示した条件は、目を疑うものだった。

「二十パーセントのダウン」

「間違っているんじゃないのか？」

そう思った私は即座に立ち上がり、部屋を出た。

ダウンの理由は、球団によれば「打率（二割六分二厘）が前年より大幅に下がったから」だった。しかし、本当の理由は「予算削減」にあった。

日本一になったからには、選手はこぞって年俸アップを要求する。それに応じてしまえば、赤字続きの球団経営をさらに圧迫する。その年、ちょうど球団社長が代わったこともあって、新社長としては、なんとしても予算を削減したかったのだろう。そこで、主力選手の私にダウン提示をすることで、ほかの選手を納得させようと考えたわけだ。例年、私の交渉は全選手のなかで最後に行われることになっていたのだが、この年に限って最初に設定されたのがなによりの証拠だった。

ＯＮの年俸が不当に低かったのも、同じ理由だったといわれる。事実、Ｖ９時代の巨人の選手の年俸は、いまから考えれば驚くほど安かった（ただ、ＯＮには別に裏金が渡されていたという真偽はわからない話が伝わっているが、私にはそんな話はまったくなかった）。

だが、好成績をあげ、日本一にもなったのに年俸が下がるのでは、選手は何をモチベーションにすればいいのか。絶対に受け入れることはできなかった。東映にいた張本勲も電話をかけてきて言った。

「球団が、『野村ですら年俸を下げられるのだから、君たちの給料を上げるわけにはいかない』といっている。絶対にハンコは押さないでくださいよ」

私は徹底抗戦の構えで春季キャンプも自費で参加した。しかし、球団は若干の歩み寄りを見せたもののダウン提示を撤回する様子はいっさい見せなかった。結局、二冠とはいえホームランも打点も前年の数字を下回っていたこともあって、二月の中ごろに三パーセントダウンでサインせざるをえなかった。

これほど悔しい思いをしたのははじめてだったので、サインしたあと、イヤミたっぷりに訊ねた。

「どうやったら給料を上げてもらえるんですかね」

「……」

球団社長は何も言わない。

「じゃあ、三冠王獲るしかないじゃないですか」

そして迎えた翌年、私は現実に戦後初の三冠王になった。しかし、年俸はわずかにアップしただけだった。

球界初の一億円プレーヤーは誰か？

いまや一億円プレーヤーはめずらしくなった。が、ひと昔前まで「年俸一億円」は夢の金額だった。では、日本初の一億円プレーヤーは誰だとお思いか？

「落合博満」

多くの人はそう答えるはずだ。だが、じつは最初に一億円を突破したのは、何を隠そう、この私である。

というのは、選手兼任監督だったころ、選手としての年俸のほかに監督料も頂戴していたからだ。両方合わせると一億円を超えていた、というわけである。ONより多かった。つまり、球界最高峰だ。両方現金でもらうとあまりに封筒が分厚くなってほかの選手がひがむというので、監督分は小切手で支給された。

しかも――球団からは「絶対に口外するな」と釘（くぎ）を刺されていたが――私は手取り、つまり税抜きの金額で契約していた。ふつう、新聞などで報道される推定年俸は税込みの額（この『推定』額は必ずしも正確ではないが、おおむね当たっている）。しかし、私の場合は税抜きだから、実際の金額は報道されるより多かった。

なぜ手取りで契約したのかといえば、ある人にこういうアドバイスをされたからだ。

「年俸が上がったといっても、ある限度を過ぎると税率が変わってくるから、実際の手取りは下がっている場合がある。よく考えないといけないぞ」

「税込みならいくらになるか、わかっているのか？」

球団社長によくイヤミをいわれたが、巨人の選手と違って、不人気の南海の選手にCMなどのオイシイ話はめったにこない。副収入といえばせいぜい、サイン会でもらう雀（すずめ）の涙ほどの謝礼くらいだった。

契約更改の話のついでに述べておけば、私は契約交渉に代理人を立てることには反対だ。いまは多くの選手が代理人を雇っているようだが、いま現役であったとしても、私は代理人を使う気はない。

プロ野球選手は個人事業主である。契約は大切な仕事のひとつ。それを人任せにしてどうするのだと思うのだ。

人間形成の面から考えてもいいことはない。「野球だけやっていればいい」と考える選手が増え、社会人として大切な、「自分の言いたいことを言葉としてきちんと伝え、納得させる」という力を身につける機会を逸してしまうことになるからだ。

たしかに代理人を雇えば、自己主張はよりしやすくなるだろう。けれども、一方的に自分の要望や権利を主張するだけでは、球団の経営状態などを知ろうともしなくなるし、野球以外の社会に対する目も養われない。それは結局、選手のためにはならないと思うのだ。

高給を取る意味とは？

二〇一七年の最高年俸は、金子千尋（オリックス）の五億円だという。選手会に加入する支配下選手七百三十二人の平均年俸は三千八百二十六万円とのことだ。選手会が最初の平均年俸を発表した一九八〇年は六百二万円。この年の民間の平均年収（国税庁調べ）二百六十九万円の二・二倍だった。いまは十倍程度だろう。

高給を取るのは大いにけっこうだ。プロ野球＝お金。年俸はその選手の価値を端的に示すものであるし、人気下降気味といわれるプロ野球が、あとに続く者たちに夢を与える意味でも必要なことだ。メジャーリーグと較べれば、日本の選手の年俸はまだまだ低すぎる。

だから、もっと高くてもいいと私個人は思っているのだが、その前提として、高給をもらう意味を選手たちが理解していなければならない。

高給を得るということは、いうまでもなくチームの中心であることを意味する。中心選手は「ただ打てばいい、抑えればいい」というものではない。チームの「鑑」となることが求められる。「鑑」とは、ひと言でいえば、監督が「あいつを見習え」といえる存在のことだ。プレーはもちろん、言動においても少年ファンの手本たりえる存在のことである。

ONはまさしく鑑だった。私だってチーム一の高給取りだったから、いつも「おれを見ていろよ」という気持ちでプレーしていた。果たして、いま高給を得ている選手の何人がそのことを意識しているだろうか。高い給料をもらうからには、それだけの義務が伴うのだ。

もうひとつ、近年はチームの総年俸と順位がほぼ直結している。これもまことにおもしろくない。

野球は「意外性のスポーツ」である。「この世で当たらないものは、天気予報と経済予想と野球の予想」と昔からいわれてきた。昔は貧乏球団の選手には「高い給料を取っているやつらに負けてたまるか！」という気概があった。「おれたちも優勝して給料を上げてもらおう」と強く思った。そういう気持ちが意外性につながった。ところが、いまは年俸が成績を決めてしまっている。

思うに、世の中全体が豊かになりすぎたのだろう。ハングリーでなくなったのだ。

名選手がいなくなったのは、そのことと無縁ではないと私は思っている。プロ野球ほど「育ち」の出るスポーツはない。ガッツがある選手、「絶対に這(は)い上がってやる」という気骨を持っている選手は、たいがい家が貧しい。ぼんぼん育ちで成功した選手は、ほとんどいないといっても過言ではないのだ。

繰り返すが、高い年棒をもらうのはいい。ただ、そうなるまでの過程が甘すぎやしないかと私は思う。メジャーリーガーはたしかに天文学的な年俸をもらっている。しかし、いきなりメジャーからスタートする選手はまずいない。ほぼ例外なくマイナーを経験する。そこでは移動はバスで、食事はハンバーガー。給料はすごく安い。だから彼らはなんとかして這い上がろうとするし、這い上がったら二度と戻りたくないと強く思う。

対して日本はどうか。いまは二軍選手ですら同世代のサラリーマンよりはるかに恵まれた境遇にいる。プロ野球選手というだけでちやほやされる。プロ野球選手になったというだけで満足してしまい、どうしたってハングリー精神は失われるだろう。そうなれば、プレーに迫力がなくなって当然なのである。

プロとしてお金を取るとはどういうことなのか——いま一度、選手たちに考えてみてほしいと思う。

2 名選手必ずしも名解説者にあらず

ビール片手にテレビでナイター観戦……それを楽しみに日々仕事をしているプロ野球ファンも少なくないだろう。

そして、その中継には、実況を担当するアナウンサーのほかに解説者がいるはずだ。ときに私も呼ばれることがあるわけだが、それではその解説者なるものが何をきっかけに、いつごろから登場するようになったかご存じだろうか？

プロ野球中継自体は戦前から行われていた。戦後は、復活したプロ野球の人気が高まるのに伴い、より盛んになった。いや、中継のおかげでプロ野球人気が爆発したというべきか。

いずれにせよ、当時はラジオ中継で、私も夢中になって聴いたことは以前に述べた。ただし、それはアナウンサーによる実況のみで、解説者はいなかった。ならば、そのはじまりはいつなのか――。

日本のプロ野球解説者第一号とは？

中澤不二雄（ふじお）さんという人がいる。のちにパ・リーグ会長を務めた人だが、聞いた話では、この中澤さんがプロ野球解説者第一号なのだという。その経緯はこうだ。

あるとき、記者席で中澤さんがあるアナウンサーと雑談しながら試合を観戦していた。そのときの中澤さんの話が非常におもしろかったので、アナウンサーが思いついたのだという。

「これを放送でもやったらウケるのではないか」

私も中澤さんの解説を聞いた記憶はある。だが、どんなことを話していたか、印象に残っていない。解説者といわれて最初に思い浮かぶのはやはり、小西得郎（とくろう）さんだ。オールド・ファンならご記憶にあるだろう。

「なんと申しましょうか？」

「打ちも打ったり、捕りも捕ったり」

小西節と呼ばれるこうしたセリフがトレードマーク。沢村栄治さんの初公式戦や天覧試合の実況を担当したことでも知られるＮＨＫの名アナウンサー、志村正順さんとのコンビで大いに人気を博したものだ。

とりわけ、巨人・中日戦で杉下茂さんの投げたボールが、打席に入っていた巨人の藤尾茂さんの股間を直撃したときの名（迷？）解説は語り草だ。

「なんと申しましょうか、こればかりはご婦人方にはおわかりにならない痛みでして……」

たしかに小西さんの解説はおもしろかった。ただし、僭越ながらいわせてもらえば、それは〝雑談〟としてのおもしろさで、〝解説〟ではなかった。「勉強になるなあ」「いいことを聞いたなあ」と感じさせられた記憶はほとんどない。小西さんは明治大学野球部のキャプテンとして活躍し、都市対抗野球では審判を務め、職業野球チームの監督にもなったそうだが、プロ選手としての経験はないから、いたしかたなかったのかもしれない。それ以上に、当時は「気合だ」「根性だ」という精神野球の時代で、解説のしようもなかったのではないか。

ついぞ出会えなかった名解説

テレビの野球中継がはじまったのは、私のプロ入りしたころだった。合宿所ではじめて観て、びっくりした。

「家にいても試合が観られるんだ！」

ただ、記憶違いかもしれないが、そのころ解説者はいなかったと思う。いたのにもかかわらず憶えていないとすれば、やはりたいした解説ではなかったのだろう。

その後も私をうならせるような解説者には出会ったことがなかった。記憶に残る解説者をあげれば、鶴岡一人さんと青田昇さんくらいだろうか。

鶴岡さんは私が選手として二十年仕えた監督だから、何を話すかすぐにわかった。「気合が入っていない」とか、そんな話ばかり。青田さんは毒舌ではっきりものを言ったけれど、私の参考になるような話はなかった。

尊敬する川上哲治さんが解説者になったときは大いに期待したものだが、内容は鶴岡さんと変わらず、はっきりいって学ぶところはなかった。その川上さんに新聞に書いた評論が認められ、巨人のヘッドコーチに迎えられたという牧野茂さんとも、日本シリーズの中継で一緒になったことがあるが、試合のポイントを的確につかんでいなかった印象がある。最後には「もうおまえが解説やれよ」という感じになってしまい、「遠慮したほうがいいのかな」と申し訳なく感じたことを憶えている。

広岡達朗さんは現役時代から野球に対する研究心が旺盛で、知識も豊富だったから、「おれが気づかないこと、知らないことを喋ってくれるんじゃないか」と楽しみにしていたが、やはり期待はずれだった。

ことほどさように、現役時代の私はテレビやラジオの解説に満足できなかった。巨人が「ドジャースの戦法」を導入し、パ・リーグでも阪急のダリル・スペンサーや南海のドン・ブレイザーが「シンキング・ベースボール」を持ち込んだことで日本の野球も近代化されつつあったにもかかわらず、解説だけは旧態依然だったからだ。

逆にいえば、そんな解説しかなかったからこそ、「おれが誰にも負けない、日本一の解説をやってやる」と誓うことになったのかもしれない。

一球の根拠を——野村スコープ誕生

昔の監督は、みな大学出だった。それも東京六大学の出身者が多かった。田舎の無名高校卒の私など監督にはなれないと思ったから、三十代に入ったころから、引退後は解説者・評論家になろうと考えていた。テレビ中継を観ては、自分が解説者になったつもりで喋っていた。

幸いなことに、現役のころからリーグ優勝できなかったときには日本シリーズの解説を頼まれることがあり、それが好評だったらしく、引退後はあるスポーツ新聞社と評論家として契約を結んだ。

　試合が終わると、記事にするため、記者が私のもとにやってくる。話しはじめると記者が慌てていった。

「ちょ、ちょっと待ってください」

　あまりに私がたくさん喋るので、びっくりしたらしい。

「いままでの評論家先生は、ひと言くらいしか喋ってくれなかったので……」

　記者はそういった。当時の解説者や評論家は、その程度のものだったのである。だからこそ、私は思った。

「野球の持つ、ほんとうの魅力、奥深さ、一球ごとに変わる勝負のあやといったものを、一般のファンにもなんとかして伝えたいものだ」

　そうした想(おも)いから誕生したのが〝野村スコープ〟だった。テレビ朝日の解説者になることが決まったときだ。担当者が家にやってきて、いった。

「いまの実況は、アナウンサーと解説者がなんとなく喋っているだけでつまらなくないですか？」

「何か、おもしろい放送ができないですかね」と訊かれたので、提案してみた。

「画面に九分割したストライクゾーンを映し出し、配球を解説・予想してはどうだろう」

つまり、キャッチャーの目線で、バッターの攻略法を過去のデータ、置かれた状況、心理状態などをもとに解説しようと考えたのだ。「なぜ、その球をそこに投げるのか」——一球一球の根拠を伝えたかったのである。

野村スコープは幸い、好評をもって迎えられた。その後、ＮＨＫが「似たようなことをやりたいので許可してほしい」といってきた。私は快諾した。

「いくら図は真似できたとしても、おれの真似をできる解説者はいない——」

自信を持っていたからだ。実際、梨田昌孝がそのころＮＨＫの解説をしていて、キャッチャー出身ということでどんな解説をするかと思っていたら、たいしたことは喋っていなかった。

そういえば、ちょうど同じころに解説者をしていた森祇晶に「同じようなことをやってみたらどうだ？」と勧めたことがある。たがいに切磋琢磨してきた、私が認める数少ないキャッチャーのひとりだったので、「これが野球の真髄だろう。おまえがやったら説得力があると思う。野球界のためにやれ」と説得したのだが、「いや、わしはいい」とあっさり断られた。想像するに、「おれは巨人の九連覇を支えたキャッチャーだったんだ」というプライドが邪魔をしたのだろう。

アナウンサーとの相性も大切

ここでちょっと余談めいた話をすれば、私の経験からいうと、解説のよしあしはアナウンサーとの相性にも左右される。一種の掛け合い漫才みたいなものだから、息が合うかどうかは非常に重要なのだ。アナウンサーがいいリードをしてくれれば、こちらは調子に乗りやすい。その意味では、バッテリーにもたとえられるだろう。

私がやりやすかったのは、ＴＢＳラジオでよく一緒になった山田二郎さん。浪曲師の広沢虎造（とらぞう）さんの息子さんである。山田さんは「功は人に譲る」タイプというのか、必要な情報だけを的確に伝えて、あとは解説者に任せるスタンス。気持ちよく解説できたのを憶えている。

反対にやりにくかったのは、名前を出して恐縮だが、同じＴＢＳの渡辺謙太郎さん。名アナウンサーとして有名だが、解説でも何でも全部自分でやってしまうので、「おっしゃる通り」としかいえない。私は苦手だった。

また、知ったかぶりをするアナウンサーや、格好ばかりつけて中身が伴わないアナウンサー、それからこれは新人に多かったが、いい放送をしようと色気たっぷりのアナウンサーもやりにくかった。

また、「解説者は儲かるのか？」と訊かれれば、「それは人によるだろう」と答えるしかない。私自身、契約やギャランティなどについては妻に任せっきりだったので、いくらもらっていたのか知らない。交渉もしたことがない。まあ、野球選手はユニフォームを着ているときがいちばん儲かるということだけは間違いないと思う。

話を本論に戻す。

最近の解説を聞いていると、思わずテレビのスイッチを切りたくなる。音を消して画面だけにし、自分で解説しながら観ているほうがよほど楽しい。

いまではどの局も野村スコープと同じような画面をつくっているが――「特許を取っておけばよかったのに」と妻には言われたものだが、それはともかく――キャッチャー出身の解説者であってもとても使いこなしているとはいえない。誰でもわかるような当たり障りのない話しかしない解説者や、いまだ精神論と結果論で語る解説者も少なくない。私の基準が高すぎるのかもしれないが、それを割り引いても、ろくな解説者がいないというのが実感だ。その理由はどこにあるのか。

ひと言でいえば、しっかりした野球論、野球観を持っている解説者がいないからだ。野球に対する哲学、思想こそが、野球を、試合を観るための〝眼〟となるのである。その眼がしっかりしていなくて、どうしてまともな解説ができようか。

「名選手必ずしも名監督にあらず」という言葉があるが、解説者も同じだ。監督やコーチ同様、解説も自分の現役時代の経験がベースになるわけだが、名選手は往々にして天才型で、感覚に頼ってきた選手が多い。とくに外野手出身の解説者は、選手時代は自分のバッティングにしか興味がなかったのがほとんどだし、ピッチャー出身はずっとお山の大将でやってきている。野球の本質について、深く考えたことがないのである。

とはいえ、解説者だけを責めてもしかたがない。いまのプロ野球界全体を見渡しても、「野球とはこういうものだ」と教えられる監督もコーチもいない。そもそも考えようとしない。そんな指導者のもとで育った選手が、確固たる野球観を持てるわけがないではないか。

放送局にも問いたい。「あなた方には、ほんとうの野球を視聴者に届けたいという気概はないのか」と……。

いまの放送局は、解説者に「能力」を求めているとはとても思えない。だから、人気のある元スター選手やたんに話がおもしろい人間、あるいは処世術に長けたゴマスリ人間が「解説者」と称して放送席に座ることになる。これでは視聴者に野球のほんとうの魅力や醍醐味が伝わらず、野球とはその程度のスポーツなのだと思ってしまう。

ましてや芸能人を呼んできて〝ゲスト解説〟をやらせるなど愚の骨頂。プロ野球に対する冒瀆である。

スター選手や処世術に長けた人間をまったく使うなとはいわない。だが、「使うなら、きちんとテストをしてからにしろ」と私はいいたい。最低の条件をクリアした人間だけを解説者として起用すべきである。

解説者としての能力が問われないから、彼らは解説者の仕事をなめてかかり、勉強もしない。解説をして金銭を得ている以上、彼らはプロフェッショナルである。しかし、果たして「自分はプロだ」という意識があるのだろうかと疑問に思う。私にいわせれば、「プロ＝恥の意識」である。ろくでもない解説をしておいて、よく恥ずかしくないものだと思わざるをえないのだ。

それに、解説という仕事は、将来指導者としてグラウンドに戻ったときにも大いに役立つものである。野球を「外から見られる」からだ。

現役時代はチームの一員であるから、欲から離れることは不可能である。自分のチームに肩入れし、相手の視点からゲームを見ることは難しい。その点、解説者はどちらが勝とうが負けようが関係ない。冷静に、純粋に試合を見られるのだ。見ている場所も基本的にバックネット裏だから、全体を俯瞰（ふかん）できる。「野球を勉強しよう」という意欲を持って見ていれば、現役時代は見えなかったこと、気がつかなかったことがわかってくるのである。

さらに試合が終われば、勝因や敗因、ターニングポイントになった出来事などを自分なりに考え、コメントや原稿にして表現する。その作業を通して、「野球とは何か」「勝つためには何が必要なのか」といったことがだんだん理解できるようになっていく。そういう蓄積が、いざグラウンドに戻ったときに大きな力となるわけだ。私自身、解説者時代の九年間で学んだことが、監督になったときにどれほど役立ったことか。

そもそもヤクルトの監督に迎えられたのは、私の解説や評論が当時の球団社長だった相馬和夫さんに認められたことが理由だった。全身全霊をかけて解説の仕事に打ち込んでいれば、見てくれている人、評価してくれる人が必ず現れるのである。いまの解説者諸君には、そのことを肝に銘じてほしいと思う。

3　野球界はメディアとどう付き合ってきたか

　あれは何年前だったろうか。南海のプレーイング・マネージャー時代のことである。阪急と優勝争いを演じているさなか、阪急との直接対決があった。月曜日だったのでセ・リーグの試合はない。私は思った。

「明日こそ、スポーツ新聞の一面はおれたちだぞ」

　ところが、翌朝、私の目に入ってきたのは、こういう見出しだった──〝不振の掛布、特訓！〟。

「なぜなんだ？」

　南海の担当記者に私は詰め寄った。

「おまえら、ちゃんと記事書いてんのか？」

「もちろん、書いて送りました」

「だったら、なんで掛布が一面なんだ！」

さらに問い詰めると、記者は口ごもりつつ、こういった。

「デスクがいうんですよ、『南海が一面じゃ売れない』って……」

プロ二十二年目、不惑を前に史上二人目となる通算六百号ホームランを放ったときも同様だった。

「長嶋や王は太陽の下で咲くひまわり。僕は人の見ていないところでひっそりと咲く月見草」

試合後の記者会見で私はいった。「月見草」はのちに私の代名詞となるわけだが、この言葉もやはり、スポーツ紙の一面を飾ることはなかった。翌日、東京の各紙が一面で伝えたのは、「長嶋監督率いる巨人が球団史上初の二桁借金を背負った」ことであり、関西のそれは「阪神が完封勝利を飾った」ことだった。

プロ野球とマスコミはもちつもたれつ

そこで、メディアとプロ野球の関係について考えてみようと思う。

いま述べたエピソードが象徴するように、かつてのパ・リーグはセ・リーグに較べて不人気であった。メディアの扱いの差は歴然としていた。とくに私のいた南海は、完全に阪神の陰に隠れた存在。だから私は、取材を受けるときには、少しでも多く取り上げてもらおうと、いつも丁寧に答えたし、サービス精神も発揮したつもりだ。監督になってからは、選手たちにもいっていた。

「ヒーローインタビューでマイクを向けられたり、取材を受けたりしたときには、自分のPRの場だと思え」

ところが、人気選手のなかにはマスコミ嫌いなのか、メディアへの対応がぞんざいな選手がいる。その代表がイチローだった。近年はずいぶんあらたまったようだが、以前のイチローは、記者たちをバカにしている様子が受け答えの端々から感じられた。

たしかに、答えるに値しない質問もある。しかし、たとえそうであっても、その記者のうしろには何千、何万というファンがいる。そのことに果たして彼は気づいていたのだろうか。ファンは直接イチローの言動に触れることはできない。つまり、メディアは彼とファンをつなぐ接点である。それをないがしろにしているということは、ファンをないがしろにしているに等しい。記者のうしろにいるファンに思いを馳せれば、どんなときであってもいい加減な態度をとっていいはずがない。メディア対応は、選手の仕事のひとつでもあるのだ。

落合博満も現役時代からそういう傾向があった。監督になってからは、ろくに取材にも答えなかった。「何をいっても、あいつらにはどうせわからない」というのである。それで私は彼を叱ったことがある。

「プロ野球は人気商売だろう。マスコミなくして成り立たない。みんな、おまえの談話をほしがっているんだから、喋ってやれよ。それは監督としての務めだよ。記者がわからないなら、懇切丁寧に教えてやれよ。記者たちを育てるのも監督の仕事のひとつなんだから」

南海のプレーイング・マネージャーだったころ、南海の担当記者はなぜかどの会社も経験の浅い若手ばかりだった。いくら喋っても、いいたいことを理解してもらえないので、「もっとまともなのをよこせ」と各社のデスクに文句をいったことがある。すると、異口同音にこういう答えが返ってきた。

「若いのを育てるにはノムさんに預けるのがいちばんいいんですよ。なんとか育ててやってください」

落合もイチローも、勝つことが、打つことが最高のファンサービスだと考えていたのかもしれない。それは正しい。だが、ファンは目に見えるプレーの背景にあるもの、選手や監督が何を考え、いかなる駆け引きが行われていたのか、どうしてそういう結果が生じたのかということを、選手や監督の言葉を通して知りたいはずだ。

メディアはそうしたファンの声を代弁して話を訊き、活字や電波にして利益を得る。それを読んだり、見聞きしたりしたファンが、その選手や監督にさらに興味を抱き、球場に足を運ぶ。選手や監督とメディアは、いうなれば、〝もちつもたれつ〟の関係なのである。

メディアを策略に利用せよ

情報を与える見返りというわけではないが、私は策略としてメディアを〝利用〟することもあった。

策略には三つの基本——「挑発」「増長」「敬遠」——があるそうだ。「挑発」は、相手をけしかけて理性や冷静さを失わせること。「増長」は、いわゆるほめ殺し。「敬遠」は勝負を避ける、相手にしないという策である。このなかの「挑発」のためにメディアを利用したのだった。

なかでも効果をあげたのが、ヤクルト監督時代の一九九五年、オリックス・ブルーウェーブ（現バファローズ）とあいまみえた日本シリーズである。このシリーズでヤクルトが勝つためのカギは、イチローをいかに封じるかにあった。ところが、いくらデータを集めて分析しても、弱点が見つからない。そこで、メディアを使うことを思いついたのである。

シリーズ前、記者たちに対して私は言い続けた。

「イチローの弱点はインハイだ。インハイを攻める」

インコースを攻めてくると意識させるためである。そうすれば、バッティングに大切な右肩のカベを崩すことができると考えたのだ。さらに「イチローは打つときに左足が出ている。ルール違反ではないか？」とも発言し、心理的にゆさぶりをかけた。

イチローがどれだけ私の言葉を意識したかは知らない。ただ、このシリーズのイチローは現実に右肩が開くことが目立ったし、ふだんなら初球から積極的に打ってくるタイプなのに、様子を見ようとしたのだろう、初球を見逃すことが多かった。実際、ヤクルト・バッテリーは第一、二戦でイチローをほぼ完璧に封じ込めた。これが日本一の最大の勝因となった。

一九九三年、巨人の監督に復帰した長嶋茂雄に対しても私は、メディアを通じて挑発的な発言を繰り返した。

「天性とひらめきだけのカンピューター野球に負けてたまるか」「あれだけの戦力で勝てないのは何か問題があるんじゃないか？」「審判はみんな巨人贔屓（びいき）」……。

これも長嶋を挑発するためである。

私の発言にカッカすれば、冷静さを失い、それだけミスも起きやすくなる。こちらに付け入る隙ができるのだ。

実際、それなりに効果はあった。長嶋はメディアに対して人の悪口や批判を口にすることはないのだが、担当記者に聞いたところでは、私については感情をあらわにしてこういったそうだ。

「野村に負けると腹が立つ」

あまりに厳しい言葉を投げかけたものだから、王貞治に苦言を呈されたこともあったし、名球会の会合などで長嶋に会っても以前のように気軽に口をきいてくれなくなってしまったのだが、しかし私の長嶋批判には、もうひとつ大きな目的があった。

かつてのプロ野球は国民的スポーツといっても過言ではなく、メディアも率先して取り上げてくれた。

しかし、巨人人気に陰りが見えはじめ（長嶋が監督に復帰したのもそれが大きな理由ではなかったか）、プロ野球離れがはじまりつつあったのに加え、Jリーグが華々しくスタートすることになった。「プロ野球はこのまま安閑としていていいのか」という危機感が私にはあった。

「もっとプロ野球を盛り上げなければいけない。そうしなければ、いずれ衰退してしまう……」

そう思っていた。

となれば、メディアに取り上げられるのを待っているだけではいけない。こちらからも話題を発信していかなければならない。長嶋はヒーローである。ならば私がヒール、すなわち悪役を演じれば、メディアがおもしろがって取り上げてくれるだろう──そう考えたのである。

選手を成長させるためのメディア

私の専売特許となった「ぼやき」も目的は同じであった。話題を提供し、ファンはもちろん、プロ野球に関心のない人にも興味を持ってもらおうと考えたのだ。とりわけ楽天の監督になってからは毎日記者たちを前に盛大にぼやき、スポーツ紙にコーナーもできたほどだった。

ただし、ぼやきにも、もうひとつ大きな理由──じつはこちらがほんとうの目的だったのだが──があった。選手を発奮させるためである。

ぼやきとは、期待の表れである。「この選手はもっとできるのに……」という気持ちが私をぼやかせるのだ。私のぼやきがメディアに載ることで、選手は「なぜぼやかれたのか」と自省し、どうすればいいか考える。それが成長を促すことになるのである。

「直接いえばいいではないか」という意見もあるだろう。が、直接うだうだ説教されるより、間接的にエッセンスを伝えるほうが効果的だと私は思った。ぼやきの内容が一般にも広く知られることで、選手が「二度と恥ずかしい思いをしたくない」と感じ、同じ失敗を繰り返さないようになることを期待した面もある。

先に私は「ヒーローインタビューや取材はPRの場だと思え」と選手たちにいっていたと述べたが、じつはこれにももうひとつ狙いがあった。

きちんとした受け答えをしようと思えば、日ごろから「野球とは何か」「ピッチングとは、バッティングとは何か」と自分に問いかけ、自分なりの野球哲学、野球思想というべきものを確立しておかなければならない。選手たちにそれを期待したのである。

私が現役だったころは、記者たちも野球に対する追究心、探究心を強く持っていた。

「どうしてあそこはストレート勝負だったんですか？」

「あの場面はピッチャーを代えるべきだったのでは?」

痛いところを突かれることもあった。記者といえども、確固たる野球観、哲学を持ち、選手をよく観察していた。なかにはロッカールームにまでついてきて、食い下がる記者もいた。そういう記者たちに私は鍛えられた面もある。説得力のある答えをしようとすれば、おのずと野球について深く考えざるをえないからだ。

メディアが野球ファンを育てる

だからこそ、いまのマスコミ諸君に問いたい。

「君たちは、ただ『視聴率が取れればいい』『新聞が売れればいい』と考えてはいないか?」

野球のおもしろさや奥深さは、一球ごとに生じる攻撃側と守備側のせめぎあいにある。ところが、いまの報道は、そうした野球の本質はほとんど伝えることなく、ただ何本ホームランを打った、球速がどれだけ出たといった目に見えることだけに焦点を当て、どっちが勝った、負けたと騒いでいる。中継に芸能人を呼んだり、プレゼント付きのクイズを実施したりすることも少なくない。

記者たちに私はよくいったものだ。

「君たちが野球ファンを育てるんだぞ。そういう気概を持ってくれ！」

メディアがプレーの奥にある野球のほんとうの魅力を伝えなければ、野球とはただ投げて打てばいいスポーツなのだとファンは思い込んでしまう。野球を見る目も養われない。将来のプロ野球選手もそういう中継や報道を見て育つのだから、ことは深刻なのである。

また、「視聴率が取れればいい、新聞が売れればいい」という風潮は、選手にとっても害になる。最大の〝被害者〟が阪神である。関西のメディアは、はっきりいって異常だ。連日、阪神の話題が一面を飾る。まるで阪神以外のチームは存在していないかのように……。

結果として、阪神の選手だというだけでスター並みに扱われる。まだ実力が伴っていない段階からちやほやされれば、選手は「自分はスターなんだ」と勘違いする。しかも、メディアは選手の批判や悪口はいっさいしない。ひたすらほめそやし、おだてるだけ。選手に嫌われて、取材拒否されるのが怖いからだ。

そうなると、彼らの矛先はどこに向かうか。監督やフロントである。私も監督時代は盛大にやられた。建設的な意見であればむしろ歓迎するが、ほとんどは「選手は悪くない。勝てないのは監督のせい」という記事ばかり。私の人格を否定しているものさえあった。

さすがの私も、記者たちと話をするのが怖くなった。選手を発奮させるためにぼやいても、真意が伝わらない。取り巻きの記者のなかには、「野村がこんなことを言っている」と、わざわざ選手にご注進する者もいた。

そんな状態では、じっくりとチームをつくることなどできやしない。関西のメディアは、阪神を応援しているようでいて、じつは蝕(むしば)んでいるのである。

それで思い出したが、V9時代までの巨人を取り巻く日本テレビ、読売新聞、報知新聞の結束力はすごかった。ふだんは気さくな記者やアナウンサーも、日本シリーズになると、私が「こんちは」といっても、プイと横を向くことがよくあった。鶴岡監督はいっていたものだ。

「読売の連中がしきりに嫌なことを言ってくるから、絶対に耳を貸すな」

それがいいことだとは思わないが、「なんとかして巨人を勝たせたい、力になりたい」という気持ちは伝わってきたものだ。巨人と阪神の差は、こんなところにもあったのだなと、あらためて思う。

「選手や監督とマスコミはもちつもたれつ」といっても、それは甘え合うことではないし、敵対し合ったりすることでもない。たがいに補完し合い、プロ野球のほんとうの魅力を発信し、ともにその発展を築いていく。それがあるべき姿だと思う。選手・監督およびマスコミ関係者が、そのことを思い起こしてくれるといいのだが……。

4　永久欠番になりたければおれを抜け

二〇一六年シーズンかぎりで現役を退いた、広島の黒田博樹の背番号「15」が永久欠番となった。広島では〝ミスター赤ヘル〟こと山本浩二の「8」、〝鉄人〟衣笠祥雄の「3」に続く三例目。松田元オーナーは、「理由はふたつ。彼の残した成績と優勝したこと。それとお金だけではない価値観をいまの社会に示した。十五年、二十年たっても、日米通算二百三勝した投手というだけではなく、彼の与えた影響などが記憶に残るようにしたかった」と話した。

永久欠番は各球団が独自に定めるもので、明確な基準はない。記録だけでなく、人気や人格、球団や社会への貢献度などを総合的に考慮して決めるのだと思う。

記録でいえば、広島には通算二百十三勝をあげ、五度のリーグ優勝に貢献した北別府学や、完全試合一度を含むノーヒットノーラン三回を達成した外木場義郎という、殿堂入りしたピッチャーがいる。彼らをさしおいて黒田の背番号を永久欠番にしたというのはやはり、メジャー球団から年俸二十億円ともいわれるオファーを受けながらも古巣に復帰し、二十五年ぶりのリーグ優勝に貢献した〝男気〟が評価されたということなのだろう。

とはいえ――黒田に対しては何のうらみつらみもないものの――このニュースを聞いて、正直、思った。

「永久欠番も安っぽくなったなあ……」

背番号は選手の第二の顔

その理由はあとで述べるとして、まずは背番号が選手にとって意味するところを述べてみたい。

「背番号は選手の〝第二の顔〟である」

私はそう考えている。

いまはどの球団のユニフォームも背番号の上にローマ字で選手名が記されているが、昔はそんなものはなかった。番号だけだった。だから、背番号＝選手だった。

しかも、私が子どもだったころはテレビ中継はまだなく、ラジオだけ。選手の動く姿を見られるのは、映画館で目にするニュース映像くらいだった。だから、新聞や雑誌を見て、選手を顔ではなく背番号で覚えた。「16」といえば川上哲治さん、「10」といえば藤村富美男さんというふうに……。巨人ファンだった私は、授業中に巨人の選手たちを「1番＝誰々、2番＝誰々……」と、順番にノートに書いていったものだ。

そんなだから、私自身、背番号には非常に思い入れがあった。プロに入って最初にもらった背番号は「60」だったが、これがじつに嫌だった。

「大きい背番号＝下手くそ」

それが一般的な認識だったからだ。ましてや「60」なんて大きな番号をつけている選手はいなかったから、「いちばん下手くそ」というレッテルを貼られたも同然に思えた。

「60」を最初につけたのは、西鉄監督時代の三原脩さんだと思う。当時、監督は「30」をつけることが多かった（鶴岡一人さんも水原茂さんもそうだった）のだが、三原さんはその倍にしたのだと思う。つまり、「60」といえば監督の背番号と言ってよく、二軍戦で地方に行ったとき、私の背番号を見た観客から、「あいつが監督か」といわれたこともあった（ずいぶん若い監督だ）。

唯一救いがあるとすれば、テスト生として南海に入団した選手は全員が60番台で、そのなかではいちばん若い番号であるということだった。

「テスト生のなかではおれがいちばんだ」

そう思って慰めることにした。

三年目に一軍に上がり、「19」になった。当時、南海には松井淳さんと筒井敬三（けいぞう）さんというキャッチャーがいたのだが、パ・リーグに高橋ユニオンズという新しい球団が誕生し、各チームが協力して選手を出すことになった。筒井さんが補強選手のようなかたちで高橋に移籍したので、筒井さんがつけていた「19」が空いた。それを私が譲り受けることになったのである。

うれしかった。ようやくプロとして認められた気がした。そのことが自信にもなった。

「19といえば野村」

そういわれるようになってやると決意を新たにしたことをいまでも憶えている（ちなみに「19」の「1」と「9」を足すと「10」になるが、ある占い師に聞いたところでは、「足すと10になる」数字は私のラッキーナンバーであるそうで、ヤクルトの監督になったときに「73」をつけたのはそれが理由だった）。

日本の永久欠番はわずか十五人

テレビの普及によって、いまのファンは選手を「顔」で憶えるので背番号に対する関心は薄れていると思われる。それに伴って選手もそれほどこだわらなくなっているようだ。

しかし、先ほど述べたように、かつては背番号＝選手名だったから、選手にとって背番号は非常に大きな意味を持っていた（実際、プロのキャッチャーに一桁の背番号が少ないのは、プロテクターの背中のベルトのせいで背番号が見えづらくなることが理由ではないかと私は考えている）。ましてやそれが永久欠番になるということは、スーパースターであることの証。これほど名誉なことはなかった。

メジャーリーグではじめて永久欠番に指定されたのはヤンキースのルー・ゲーリッグで、一九三九年のことだったそうだが、ゲーリッグは引退セレモニーのスピーチでこう話し、喜びを表している。

「今日、私は自分が地球上でもっとも幸せな男だと思っています」

ゲーリッグは不治の病とされていた筋萎縮性側索硬化症（ALS、「ルー・ゲーリッグ病」とも呼ばれた）を患い、引退を余儀なくされた。ヤンキースは彼の背番号

「4」を永久欠番とすることでその功績に報いたのだった（余談だが、背番号制を正式に採用したのは一九二九年のヤンキースからで、打順に応じて割り当てられたという。すなわち三番を打っていたベーブ・ルースが「3」、ゲーリッグは四番だったから「4」だった。「5」はジョー・ディマジオである）。

日本における永久欠番は、一九四七年に巨人が沢村栄治さんの「14」と黒沢俊夫さんの「4」を欠番にしたのを嚆矢とするそうだ（黒沢さんという選手を私は知らなかったのだが、戦時中に四番を打っていた外野手で、一九四七年に急死。千葉茂さんら有志の提案で、沢村さんとともに永久欠番になったという。「4」は「死」に通じて縁起が悪いという考えもあったかもしれない）。巨人はその後、川上さんの「16」、金田正一さんの「34」、長嶋茂雄の「3」、王貞治の「1」を欠番にした。

巨人と前述した広島以外では、阪神が藤村さんの「10」、村山実の「11」、吉田義男さんの「23」を、中日が西沢道夫さんの「15」と服部受弘さんの「10」を、そして西武が前身の西鉄で稲尾和久がつけていた「24」を永久欠番にしているが、プロ野球八十年の歴史で、永久欠番の指定を受けたのは――阪神で金本知憲がつけていた「6」やオリックス時代のイチローの「51」のように、その後使用されていない番号はいくつかあるとはいえ――黒田以前にはわずか十四人しかいなかったのである。永久欠番とは、それほど価値があるものなのだ。川上さんの「16」などは、他球団であっても並の選手がおいそれとつけられるものではなかった。

なぜ「19」は永久欠番ではないのか

そこで黒田である。黒田の功績にケチをつける気は毛頭ない。しかし、彼の背番号が永久欠番になるのなら、ほかになってしかるべき選手がいると思うのだ。

その代表がこの私だ。おこがましさを承知で書くが、私の「19」が永久欠番になっていないのはおかしくないか？

黒田が永久欠番に決まったと知って、プロ野球と関わりたくなくなったほどがっかりした最大の理由はそこにある。私の「19」が永久欠番の候補にすらならなかったのに、どうして黒田程度の成績のピッチャーにその栄誉が与えられるのか……。

一九五四年に南海に入団し、三年目に一軍に上がってからというもの、私は正捕手の座を守り続けた。四番を打ち、一九六五年には戦後初の三冠王になった。なにより日本プロ野球においてキャッチャーの役割の重要性を認識させたのは私だと自負している。一九七〇年からは乞われて選手兼任の監督になり、一九七三年にはリーグ優勝も果たした。ところが、一九七七年かぎりで解任され、南海を退団することになった。その際、「19」を永久欠番にするなどという話はいっさいなかった。

それ以上に許せなかったのは、その「19」を南海は一九七九年のドラフト三位で指名した山内孝徳（たかのり）というピッチャーにすぐさま与えたことだ。

「南海にとって、おれの存在はその程度のものだったのか……」

腹立たしさと寂しさで、やりきれない思いがした。

人間というものは人の評価で生きている。私が南海で果たしたことに対する評価は、ドラフト三位の新人に対するそれと同じなのだという現実をつきつけられたときの寂しさは、いまも忘れていない。

電電九州に在籍していた山内は、指名翌年の社会人野球日本選手権に出場してから南海に入団したのだが、当時の南海は、山内新一（しんいち）というエース格が「20」を背負っていたところに、一九八〇年のドラフト一位指名の山内和宏（かずひろ）というピッチャーも入団することになった。そこで、和宏に「18」、孝徳に「19」をつけさせ、〝山内トリオ〟として売り出そうと考えたわけだ。

とはいえ、いくら球団がそう申し出たとしても、新人が受けるものか？　「19番なんて恐れ多い」と固辞するのがふつうの神経ではないのか？　山内が躊躇なく受けたことも「おまえは安物だ」といわれたようで、ショックだった。いつか山内に会う機会があったら「おれの背番号をよくつけられたな」と怒鳴りつけてやろうと思っているのだが、残念ながら果たせていない。

もし南海で円満に現役を終えていれば、永久欠番になったのではないかといわれるかもしれない。が、おそらく無理だったと思う。

というのは、永久欠番も処世術がものをいうからだ。南海というチームは、創設以来、実質的に鶴岡さんが牛耳ってきたといっても過言ではない。その鶴岡さんにどういうわけか私は嫌われた。テスト生の私を抜擢して育て上げたのだから、鶴岡さんにとって私は自慢の種だと思うのだが、次期監督候補に名前があがった時期から疎まれるようになった。やきもちとしか考えられない。処世術がまるでダメな私は、鶴岡さんにゴマをすることができなかった。だから、鶴岡さんがいるかぎり、「19」を永久欠番にするはずがなかったに違いないのだ。

また、楽天の監督を辞任した際、楽天球団が「19」を永久欠番にすることを打診したが私が固辞したという話が流布しているようだが、それは間違いだ。楽天はこう言ったのだ。

「19番を使っていいですか？」

楽天では欠番にされるような業績は残せなかったので、「どうぞご自由に」と答えた。その結果、私の退団後しばらくは欠番になっていたが、二〇一七年からはドラフト一位ルーキーの藤平尚真（ふじひらしょうま）というピッチャーがつけているようだ。

野村を抜いてこそ永久欠番

私のほかにも、球史に残るような成績をあげながら永久欠番になっていない選手は大勢いる。

たとえば、三冠王を三度も獲得した落合博満や、歴代二位の三百五十勝をあげた米田哲也、通算千六十五盗塁という空前絶後の記録を残した福本豊がそうだ。川上さんと人気を二分した大下弘さん、稲尾とともに西鉄の黄金時代を築いた中西太さんもなっていないし、南海で私とバッテリーを組み、鶴岡監督のお気に入りだった杉浦忠の「21」も、どういうわけか永久欠番ではない。

近鉄のエースだった鈴木啓示の「1」は永久欠番に指定されたものの、オリックスと合併して球団が消滅したため、いまはそうではないらしい。事実、後藤光尊（みつたか）というバッターが使用した。おかげで、パ・リーグには現在、稲尾以外に永久欠番はなくなった。

なかには打診されても固辞した選手もいただろうし、落合のように複数の球団に在籍した選手は欠番にしにくいのかもしれない。しかし、メジャーリーグではハンク・アーロンの「44」は、彼が在籍したアトランタ・ブレーブスとミルウォーキー・ブリュワーズの両方で永久欠番になっているし、ノーラン・ライアンはカリフォルニア・エンジェルス時代の「30」と、ヒューストン・アストロズ、テキサス・レンジャーズでつけていた「34」がそれぞれの球団でやはり欠番に指定されている。そう考えれば落合の「6」は、ロッテ、中日、巨人が欠番にしてもおかしくない。私の「19」だってそれだけの価値はあると思うが、移籍したロッテからも西武からもそんな話はこれっぽっちもなかった。南海の経営を引き継いだ福岡ソフトバンクからもいまだにない。

永久欠番は、その球団の選手に対する価値観を象徴するものといっていい。要するに、日本のプロ野球界は総じて選手に対する敬意に欠けるのだ。ヤンキースでは、二〇一四年かぎりで引退したデレク・ジーターがつけていた「2」を欠番にしたことで、「1」から「10」までの番号はすべて永久欠番になったという。さすがにそれはどうかと思わないではないが、アメリカでは先人の偉業を大切にし、敬意を表す文化が確立しているわけだ（初の黒人メジャーリーガーであるジャッキー・ロビンソンの

「42」は、在籍したドジャースのみならず、全球団共通の永久欠番となった)。

選手を顕彰するという意味では、黒田が永久欠番になったという事実は喜ばしいといえるのだが、いかんせん、永久欠番の価値も下がってしまった。

そもそもメジャーのオファーを蹴って広島のために戻ったことが評価されるなら、阪神かアメリカから古巣に復帰した選手はすべて永久欠番になってしかるべきだし、阪神から広島に戻って優勝の原動力となった新井貴浩(たかひろ)だって候補になりうるだろう。なにより、私をはじめ、これまで名前をあげてきた選手たちの業績は、黒田以下ということになってしまうではないか。

だからこそ、私は声を大にしていいたいのだ。

「永久欠番にするのは、私以上の成績を残した選手だけにせよ！　永久欠番になりたければ、おれを抜け！」

第四章

プロ野球の歴史を変えた出来事

1978年、ドラフト会議の前日、いわゆる「空白の一日」に巨人と入団契約を結んだ江川卓は大勢の報道陣を前に、あくまでも巨人入りを強調した。（写真提供：読売新聞社）

1 「黒い霧事件」が残したもの

二〇一五年十月、プロ野球界を揺るがす出来事が起こった。巨人の福田聡志投手が、野球賭博に関わっていたことが明らかになったのだ。

福田投手は、その夏に行われた全国高等学校野球選手権の複数の試合で賭けていたばかりでなく、プロ野球やメジャーリーグの試合でも賭博行為をしていた。賭けの対象となった試合のなかには、自分が所属する巨人の試合も含まれていたという。

その後、同じく巨人に在籍する笠原将生、松本竜也の両投手も賭博に関与していたことが発覚。とくに笠原投手は、自ら賭博行為を行うのみならず、松本投手が賭ける際の金銭の精算の手伝いなどをする「取り次ぎ」をしていたことも判明した。

また、巨人二軍の本拠地である読売ジャイアンツ球場のロッカールームでは、前述三投手を含む十人以上の選手が練習終了後、仲間内のことではあるが、トランプ賭博を日常的に行っていたという。

事件を受けて、巨人は福田ら三投手との契約解除を発表。日本野球機構（ＮＰＢ）は無期失格処分を下した。三投手は、最低五年は本人の態度に関係なく、球界への復帰はできないことになる。

ＮＰＢがもっとも重い永久失格ではなく、無期失格処分としたのは、三投手が八百長や出場試合に賭けた形跡がないこと、また暴力団など反社会的勢力と接触した確実な証拠はなかったからだという。

しかし、三人は一般人が入れない〝裏カジノ〟にも出入りしていたといわれ、その可能性が完全には否定できないのも事実である。

近年は反社会的勢力排除の声が非常に高まっていることもあって、ＮＰＢでも毎年春に開催する新人選手対象の研修会で、反社会的勢力との関係を持たないよう徹底してきた。各球団も同様の教育を行っているはずで、巨人は選手の家族に対しても研修を施していたという。

にもかかわらず、いったいどうしてこうした事件が起きてしまったのか。なぜ防げなかったのか――。

球界の汚点となった〝黒い霧事件〟

今回の事件で思い出されるのはやはり、〝黒い霧事件〟である。その発端は一九六九年十月七日、読売新聞に次のような記事が載ったことだった。

「西鉄の永易将之(ながやすまさゆき)投手が暴力団にそそのかされて八百長を行っていたと判明したため、球団は解雇した」

これを受けてコミッショナー委員会は十一月二十八日、永易を永久追放処分とする。しかし、翌年、永易が『週刊ポスト』(四月十日号)のインタビューで「自分は八百長の首謀者ではない」と証言。西鉄の六選手の名前を明かした。

コミッショナー委員会は五月、名前のあがった選手のうち、三選手を「野球協約355条の敗退行為に該当する」として永久追放。二選手に出場停止、一選手に厳重戒告処分を言い渡す。永久追放の選手のなかには、下関商業高校時代に春の甲子園で優勝投手となり、西鉄入団後五年で九十九勝をあげた池永正明も含まれていた。池永は八百長の依頼を受け、百万円を受け取ったとされた(本人は金銭の授受は認めたが、八百長行為は否認。刑事事件としても不起訴、二〇〇五年には処分解除)。

しかし、事件はこれで収まらなかった。六月、中日のO投手がオートレースの八百長に関与した疑いで永久追放、阪神のK内野手が出場停止処分を受け、さらに七月には東映のM投手がやはり八百長行為で永久追放。九月にはヤクルトのK内野手がオートレースの八百長容疑で逮捕された。

これらを総称して〝黒い霧事件〟と呼んだわけだが、八百長があったというニュースを最初に聞いたときは、なんとも嫌な、暗澹とした気持ちになったのを憶えている。たしか九州遠征中だったと思うが、とても野球をやるような気分ではなかった。もちろん、私は八百長に関わったことなど誓って一度もないし、話を持ちかけられたこともない。幸い、南海には処分の対象となった選手はひとりもいなかった。

ただ、南海の試合が八百長の舞台となったことはあったようだ。いわれてみれば、「?」という場面がないことはなかった。調子のよかったピッチャーが突然、フォアボールを連発したり、内野手がスタンドに飛び込むような送球をしたり……。

でも、こちらはまさか八百長をしているなんて夢にも思わなかったから、「何かアクシデントがあったのだろう」くらいにしか思わなかった。悪送球をした内野手のことも「スローイング音痴」だと思い込み（そういう選手が現実にいるのだ）、そこに打球が飛んだら、「またやるかもしれないから、一所懸命走れ」と命じていたくらいだった。池永と対戦したときも、変なピッチングをしていた記憶は微塵もなかったので、名前が出たときは大いに驚いたものだ。

そもそも、野球で八百長など成功するはずがない。成功させるためには、監督を引き込まなければならない。選手が妙なプレーをすれば、すぐに交代させられてしまうに決まっているからだ。黒い霧事件のときも、うまくいったのは一、二試合だったと聞く。

しかし、黒い霧事件が球界に与えた影響は決して小さくなかった。観客は激減。プロ野球選手全員が疑いの目で見られ、球界全体を暗いムードが覆った。多くの処分者を出した西鉄は、その後凋落（ちょうらく）の一途をたどり、最後は身売りすることになったし、パ・リーグが被ったダメージはセ・リーグに較べるとはるかに大きかった。

一九五〇年代までは、セ・リーグとパ・リーグの人気の差はそれほど大きくなかった。実力ではむしろセ・リーグを上回っていたといってもいいだろう。南海・西鉄戦は、巨人・阪神戦に劣らぬ観客を集めたものだ。

しかし、巨人に長嶋茂雄と王貞治が相次いで入団し、川上哲治監督のもとで常勝チームになっていくさまが、ちょうど急速に普及していったテレビを通して全国に届けられるようになると、セ・リーグとパ・リーグの人気は大きく開いていった。

そこに追い打ちをかけたのが黒い霧事件だった。以降、パ・リーグは長い間日陰の身に追いやられることになったのである。

なぜ野球選手は賭博行為に走るのか

黒い霧事件は、球界に忘れられない汚点を残した。しかし、いくら苦い記憶であっても、時間はそれを風化させる。もはや事件を知るプロ野球関係者も少なくなった。天災と並べて語っていいものではないが、まさしく「忘れたころ」にやってきたのが今回の事件だった。

福田、笠原、松本が八百長を働いたという事実はいまのところはないようだ。それが唯一の救いといえばいえないこともないが、いずれはそうした行為にも関与する可能性があったことは否定できないだろう。

八百長はもちろん、プロ野球選手自身がプロ野球の試合を賭けの対象とするなど言語道断、自ら野球を冒瀆する行為に等しい。ファンを裏切るだけでなく、発覚すれば自分の選手生命を失うことにもなる。そんなことはちょっと考えればわかるはずだ。

それなのになぜ、野球選手は賭博行為に手を染めるのか——。

「勝負の世界」で生きているだけに、もともと賭け事が好きだという理由はあるだろう。

以前にも述べたが、プロ入りして私がなにより驚かされたのは、先輩たちが賭け事にことのほか熱心なことだった。当時、遠征の宿舎は日本旅館だったから、試合が終わると大広間で毎夜麻雀や花札などが盛大に行われていた。球場からバスで帰ってくると、みんなすごい勢いで広間に突進した。場所取りである。博打（ばくち）のトラブルでケンカになることもしょっちゅうだった。

私自身はギャンブルが好きではなかったし、試合中ずっと座っているのに麻雀でまた座らされるのは勘弁してほしかったので加わることはなかった。代わりにバットを振ったことでいまの私があるわけだが、プロ入り前「プロは野球漬けの毎日なのだろう」と想像していただけに、正直、幻滅しないでもなかった。こうした状況は、宿舎が旅館からホテルに変わるまで続いたと思う。

それはともかく、もともとそういう資質があるところに加えて、プロ野球選手には誘惑が多い。とくに人気チームの選手は、たいして実力がなくても、そのチームの選手というだけで周りがちやほやしてくれる。そうした〝タニマチ〟のなかには筋の悪い人間もいる。本来なら「自分は狙われている」という自覚を持って行動すべきなのだが、ちやほやされてのぼせ上がっているから気がつかない。善悪の判断すらつかなくなる。最初は賭博という意識もなく、軽い気持ちで手を出すのだろうが、いつしか食い物にされ、泥沼にはまってしまう――今回の三選手も、おそらくそういうことなのではないか。

とはいえ――選手の肩を持つのでも同情するのでもないが――そうなるのも無理はない部分はある。

なにしろ、ほとんどの選手はそれまで野球しかやってこなかったのだ。そんな少年がプロに入り、いきなり同世代の人間に較べれば高い給料をもらい、実力も伴わないうちから饗応(きょうおう)を受ける。のぼせ上がるのもしかたがないだろう。プロに入ったというのはあくまでも出発点なのに、中途半端な達成感に浸ってしまい、到達点だと勘違いしてしまうのだ。だからこそ、球団が人としての生き方を教育する必要があるのだが、いまの監督は、はっきりいって選手と大差ない〝野球バカ〟ばかりで、教育ができるどころか、しようとすらしない。

まだ私がプロ入りする前、戦後すぐのことだが、南海のある選手がおかしなプレーをして負けたことが何試合かあった。「もしや八百長ではないか」と感じた鶴岡一人監督は、警察に頼んで怪しいと思われる選手たちを尾行させた。そうしてしっぽをつかんだ鶴岡監督は、疑わしい選手を問答無用で切ったという。

巨人のフロントは、すでに二〇一四年四月の段階で笠原が裏カジノに出入りしていたことを把握していたと聞く。にもかかわらず、たいして調査をせず、厳重注意をしただけだったそうだ。もちろん、NPBにも報告しなかった。NPBは、指導・管理が不十分だったとして、巨人に対して制裁金一千万円を科したが、巨人は怠慢の誹り(そし)を受けてもしかたがないだろう。

失った信用と信頼を取り戻すために

いずれにせよ、事件は起きてしまった。事件の真相を徹底調査、究明し、ウミを出し切るとともに球界が真っ先に取り組むべきことは、今回の事件を黒い霧事件のように風化させず、再発を防止することにほかならない。そのためにはどうすればいいのだろうか。

もっとも重要なのは、やはり教育だ。とはいっても、いまの監督に期待できないことはすでに述べた通り。となれば、監督教育からはじめなければならない。

私はずっと「監督講習会」の必要性を訴えてきた。社会人野球では毎年、監督やコーチを集めて講習会を実施している。これをプロの監督に対しても行うのだ。

「組織はリーダーの力量以上には伸びない」

これは私の持論である。チームのリーダーたる監督自身が、野球だけでなく、それ以外のさまざまな知識や常識を身につけようとし、自ら範を示せるだけの器を持たなければ、選手の教育などできるわけがない。こういう事件が起こったいまこそ、監督講習会を実施すべきだと、私は強く思うのだ。むろん、そのためには各球団の社長やオーナー、そしてプロ野球全体を統率するコミッショナーの果たすべき役割と責任も非常に大きいだろう。

一方、選手のなすべきことは何か。つねに注目を浴びるプロ選手としての、そしてそれ以前に一社会人としての自覚を持つのは当然だが、もうひとつ、絶対に忘れてはならないことがある。

かつて阪神を追われて南海にやってきた江夏豊が、ある試合で突然とんでもないボールを投げ、押し出しで負けたことがあった。江夏はコントロールには定評があった。私は「もしや?」と思い、試合後、彼に詰め寄った。

「おまえ、八百長やっとらんだろうな」

江夏は黒い霧事件で、暴力団との交際疑惑で厳重注意を受けていたからだ。

最初は笑ってとりあわなかった江夏だが、あまりの私の剣幕に驚いたのか真剣な表情になり、いった。

「天地神明に誓って、絶対にやっていない」

だが、「頼まれたことはあった」と江夏は正直に打ち明けた。後楽園球場での巨人・阪神戦だったというが、いざ大観衆を前にすると良心が咎めてやめた。結果、調子がよくて完封してしまったそうだ。「殺しに来るならきやがれ」と覚悟したが、「何もなかった」と江夏は話していた。

「天地神明に誓って」という彼の言葉を信じることにした私はしかし、「だがな」といってこう続けた。

「おまえが変なピッチングをするたびに、怪しいと思う人がいる。失った信用を取り返すには、口で『やっていない』と百万遍いったって不可能だ。誰も信じてくれやしない。マウンドで証明するしかないんだぞ！」

繰り返すが、今回の事件は八百長ではない。試合を賭けの対象にしたのである。しかし、現役の選手がそうした行為に関与していたということは、選手全員が、プロ野球界全体が暴力団をはじめとする反社会的勢力との関わりを疑われてもしかたがない。

しかも、当事者は「球界の紳士たれ」を球団のモットーとしてきた巨人の選手。球界が失った信用はかぎりなく大きい。

失われた信用と信頼を取り戻すためには、ファンに再びプロ野球を愛してもらうためには、私が江夏に説いたように、巨人だけでなくすべての球団の選手がグラウンドで、全身全霊を傾けたプレーを見せていくこと、それ以外に方法はないのである。野球を愛する者として、また黒い霧事件を知っているOBとして、選手全員がそのことを強く肝に銘じてほしいと切に望む。

2 ドラフトの裏面史

新人選手選択会議、すなわちドラフト会議がはじまったのは一九六五年だから、はや半世紀がたつ。若いファンはもはやご存じないかもしれないが、それ以前、新人選手の獲得は自由競争だった。すなわち、各球団は狙いをつけた選手と自由に交渉できたのである。選手側からすれば、声をかけてきた複数の球団のなかから、好きな球団に入団することができた。

当時の南海には編成部などなく、選手の獲得は鶴岡一人監督が一手に担っていた。貧乏球団ゆえ多額の契約金は出せなかったが、鶴岡さんが法政大学出身ということで、東京六大学の選手にはとくに大きな力を発揮した。杉浦忠投手（立教大）や木村保（たもつ）投手・外野手（早稲田大）、渡辺泰輔（たいすけ）投手（慶應義塾大）ら六大学のエースを獲得できたのは、鶴岡さんの力が大きかったと思う。以前述べたように、長嶋茂雄も南海入団がほぼ決まっていたほどだ。

目的は契約金抑止と戦力均衡

しかし、こうした自由競争はおのずと契約金の高騰を招いた。一九五八年に長嶋が巨人に入団したときの契約金は当時史上最高の千八百万円だったというが（大卒初任給が約一万三千五百円の時代だ）、一九六五年には上尾(あげお)高校の山崎裕之(ひろゆき)内野手が契約金五千万円で東京オリオンズ（現ロッテ）に入団した。このまま自由競争を続ければ高騰に歯止めがかからず、球団の財政を圧迫する。また、甘い汁を吸おうと選手の周りによからぬ連中が群がることにもなりかねず、選手にとっても害悪が多い。これが、ドラフトが導入されたひとつ目の理由だ。

もうひとつの理由は戦力の均衡にあった。選手が自由に球団を選べれば、人気チームや資金力のある球団が有利になる。その結果、巨人をはじめとするセ・リーグのチームや在京球団に戦力が偏ってしまい、ペナントレースがおもしろみを欠いてしまう、というわけだ。

以上の理由から、西鉄の西亦次郎(にしまたじろう)代表がNFL（米国のプロフットボールリーグ）の制度を参考にドラフトを提案。急遽導入されたのだという。第一回の指名方法は、各球団が事前に獲得希望選手に順位をつけた名簿を提出、一位が重複した場合は抽選だった。

選手にとってはどこに指名されるかわからないうえ、契約金の上限は一千万円に定められた。第一回のドラフトで中日から四位指名を受けた平松政次（まさじ）投手（岡山東商）が、のちに私に愚痴をこぼしたことがあった。

「ついてなかった。もう一年早く生まれていれば……」

第一回の指名選手には、堀内恒夫投手（甲府商→巨人）、木樽正明（きたるまさあき）投手（銚子商→東京オリオンズ）、長池徳士（あつし）（当時は徳二（とくじ））外野手（法大→阪急）、藤田平（たいら）内野手（市和歌山商→阪神）、鈴木啓示（けいし）投手（育英高→近鉄）らの名前があるが、選手の意思確認が不十分だったこともあってか、拒否する選手も続出した。記録によれば、社会人に進んだ平松のほかにも江本孟紀（たけのり）投手（高知商、西鉄四位→法大）、谷沢健一（やざわけんいち）外野手（習志野高、阪急四位→早大）らが入団を拒否している。指名された全選手百三十二人のうち、入団したのは五十二人にとどまったそうだ。

監督・野村のクジ運は悪くなかった

二〇一五年のドラフトでは、ヤクルトの真中満監督がはずれクジを当たりと勘違いして大喜びしたのが話題になったが、じつは私もクジを引いたことがある。南海のプレーイング・マネージャーだったときだ。

意外にクジ運は悪くなかった。そのころはあらかじめ抽選で指名順を決めたのだが、はじめて引いた一九六九年は四番目。一位で佐藤道郎投手（日本大）、二位で門田博光外野手（クラレ岡山）を指名。翌年はいの一番でその年の目玉だった甲子園のスター、箕島高校の島本講平外野手を獲得した。

ヤクルト時代は自分でクジを引くこともあったが、〝黄金の左〟の異名をとった相馬和夫球団社長の力もあって、ドラフト戦略はほぼパーフェクトだった。

監督就任が決まった一九八九年は、野茂英雄投手（新日鉄堺）は逃したが、西村龍次投手（ヤマハ）と古田敦也捕手（二位、トヨタ自動車）を獲った。二年目は岡林洋一投手（専修大）と高津臣吾投手（三位、亜細亜大）。三年目は石井一久投手（東京学館浦安高）。その翌年、編成部は「獲得できれば最低十年は四番はいりません」と松井秀喜外野手（星稜高）を強硬に推した。私も非常に迷ったが、「ホームランは外国人でいい」と決断。最後は相馬社長の「監督の言うとおりにしろ」のひと言で、伊藤智仁投手（三菱自動車京都）を指名した。

野球は〇点に抑えれば負けない。となれば「守り」を重視するのは当然。そのためにはバッテリー、とくにピッチャーが重要だ。毎年即戦力のピッチャーをひとりずつ獲っていけば、三年で三本柱が揃う。そのあいだに若いピッチャーを育てれば、三年後には強力な投手陣ができあがる。ヤクルトではこの戦略がものの見事にうまくいったし、楽天時代も田中将大、長谷部康平といった、その年の目玉ピッチャーを引き当てた。

対照的だったのが阪神である。私が即戦力のピッチャーを希望したにもかかわらず、一年目の一位指名は高校生の藤川球児（高知商）。たしかに将来性はあったが、この年は上原浩治（大阪体育大→巨人）と松坂大輔（横浜高→西武）という即戦力の逸材がいたのである。はじめて藤川に会ったとき、私は思わず訊ねたものだ。

「ちゃんとめし食わせてもらってんのか？」

それほど細かった。とても即戦力とはいえなかった。

二年目の一位も内野手の的場寛一（当時は寛壱、九州共立大）。三年目にようやく社会人出身の藤田太陽（川崎製鉄千葉）を獲得したが、キャンプで投げさせてみたら、肩を壊していて使い物にならなかった。

ヤクルトと阪神のドラフトで思い出したので述べておくが、巷間、古田について「眼鏡をかけたキャッチャーはダメだ」と私が獲得を渋ったとされているようだが、これは事実と反する。編成が「いいキャッチャーがいますが、眼鏡をかけています」といってきたのを、「そんなの関係ない。いまはコンタクトもあれば眼鏡も軽量化されている。いいキャッチャーなら絶対に獲ってくれ」と私が要望したのだ。眼鏡を理由に古田の指名を見送ったのは阪神である。そのときの監督だった村山実が、のちに古田が活躍したのを見て私にこういった。

「うちも古田を獲るつもりだったけど、眼鏡をかけているからあきらめたんだ」

ドラフトがうまい球団と下手な球団の差とは？

それはともかく、ドラフト戦略が巧みなチームと下手なチームが存在するのは事実である。いったい、その差はどこにあるのか？

ひと言でいえば、「スカウトの眼」である。

「あなた方は、何を基準に選手を獲るのか？」

監督に就任すると、私は必ずスカウトたちに訊ねる。たいがい、何も答えない。そこで私はいう。

「足が速い。速いボールを投げる。打球を遠くに飛ばす。肩が強い。そうした天性を基準に選手を見てほしい」

これらは、努力して、あるいは鍛えてどうなるものではない。ある程度は伸びるが、やはり限界がある。

「だから、そういう天性を持った選手を獲ってくれ。あとの部分は現場で育てるから」

私はいつもそういっていた。

バッティングがいい、いいピッチングをしている、成績をあげている……。そんなことは素人が見たってわかる。

しかも、しょせんはアマチュアの世界での話。スカウトがそうした目に見えるところしか見ていなければ、いい選手など獲得できるわけがないのである。

「チームの心臓は編成部である」と私はよく口にするが、実際、メジャーリーグでは監督より実績あるスカウトのほうが大きな顔をしているとも聞く。ファンもスカウトに一目置く。その大切さを理解しているのだ。

対して日本は、たんなる〝再就職先〟でしかない。クビになった選手が就職口がないというので、「じゃあ、スカウトでもやっとけ」。ドラフトが下手なチームは、スカウトをはじめとする編成部に対して、その程度の認識しかない。

それが失敗する最大の理由だ。

もうひとつ、実力よりも人気や話題を先行させること。これも、ドラフト戦略を誤らせる要因のひとつだといえる。先にあげた島本のときがまさしくそうだった。

監督の私は獲得に消極的だったのだが、不人気球団の南海としては、地元出身のスターはどうしてもほしかった（なにしろ、一年目からオールスターにファン投票で選出され出場したほどだった）。それで指名したのだが、結局、南海では芽が出なかった。

拒否したらペナルティを

ところで、ドラフトといえば思い出されるのはやはり、〝江川事件〟だろう。作新学院高時代に〝怪物〟と呼ばれた江川卓（すぐる）投手は巨人志望だった。高校のときは阪急の指名を拒否して法大に進学。クラウンライターライオンズ（現西武）に指名された四年後もやはり拒否し、一年間〝浪人〟したあげく、翌一九七八年のドラフト前日に、野球協約の盲点を突いて巨人と電撃的に契約を結んだ。当時の協約では、ドラフトで指名した選手の交渉権は、「翌年のドラフト会議の前々日に消滅する」とされていたのである。

　しかし、批判と非難が殺到。セ・リーグの鈴木龍二会長は「巨人との契約は無効」との裁定を下す。巨人は抗議のため、ドラフトを欠席。江川の交渉権は阪神が獲得したが、巨人は契約の正当性を主張。もめにもめた末、最後は金子鋭コミッショナーが「江川は速やかに阪神と契約を結び、阪神は二月一日のキャンプまでに巨人にトレードを」との〝強い要望〟を出し、決着したのだった（江川の〝身代わり〟に阪神に移籍したのが小林繁で、彼はこの年二十二勝をマーク。とくに巨人戦は八勝〇敗と意地を見せた）。

　この事件は社会的にも大きな関心を呼び、〝空白の一日〟が流行語となっただけでなく、ゴリ押しを意味する〝エガワる〟という言葉まで生まれたほどだった。

　当時、同じプロの選手として私は憤慨したものだ。

「ふざけるな！　プロをなめるのもいい加減にしろ！」

　その後も、「意中の球団ではないから」と入団を拒否し、浪人する選手が何人か現れた。近年では、東海大の菅野智之投手が日本ハムの指名を拒否して浪人し、一年後に巨人に入団したケースがあった。

　私は思う――指名を拒否した選手は今後プロでプレーすることはできないというく

らいのペナルティを科すことができないものかと。いまでも社会人や海外でプレーしたら二年間（高校生以外の場合）は指名されないが、もっと厳しい処置をとってもいいのではないか。

菅野が所属していた東海大の監督は、翌年も意中の球団以外に指名された場合は「菅野はアメリカに行く」と発言した。これは「巨人以外は指名するな」という脅しに等しい。そんなことが許されるものか。

社会のなかで生きていく以上、人には守らなければいけないルールがある。人としての「いろはのい」だ。決められたルールを守る気がないのなら、別の世界で生きていってもらうしかないだろう。

これは球団に対しても同様だ。とくに巨人は昔から平然とルールを無視してきた。選手に「巨人以外には行かない」と表明させる、もしくは情報を流すなどして、ほかの球団に指名されないようにする〝一本釣り〟も、ドラフトの精神をないがしろにするものといっていい。早大進学を表明していた桑田真澄（ますみ）投手（PL学園高）を単独指名したやり方はおそらくそれだし、近年では澤村拓一（ひろかず）（中央大）もそうやって獲得したピッチャーだ。

個人的には、二〇一六年から巨人の監督になった高橋由伸外野手（慶大）が思い浮かぶ。ドラフト前、ヤクルトのスカウトが私にいった。

「来年は高橋が来ますから」

ところが、その翌日だったか、高橋は巨人を逆指名した。のちに日本シリーズの解説か何かで高橋に会ったとき、「僕はあのとき、ヤクルトに行くなんてひと言もいってませんからね」と弁明されたが、絶対に何か裏があったはずだと私は思っている。

ドラフトが果たした貢献

「好きな球団に行きたい」という選手の気持ちはわかる。また、ドラフトは「憲法が保障する『職業選択の自由』を侵害するのではないか」という指摘もある。一方的に決められた一球団としか交渉できないのは、憲法第二十二条に違反しているのではないかというわけである。

法律的なことはわからないが、ただ、私は思う。

「どこも同じプロ野球のチームと考えられぬものか」

プロ野球全体をひとつの組織と捉え、そのなかに十二ある部署のひとつに配属されるのだと――。なかには派手な〝部署〟もあれば、地味な〝部署〟もあるだろうが、望まれて入るわけだし、きちんと結果を残せば、いまのところ八年たてばFA（フリーエージェント）というかたちで、しかも好条件で〝異動〟できるのだから……。

そもそも、実力がある選手ばかりの集団に入っても、頭角を現すのは並大抵の才能と努力では不可能だ。

私だって少年時代から憧れていた巨人に入りたかった。けれども、一年上に甲子園のスターだった藤尾茂さんというキャッチャーがいて、追い抜くのは無理だと思った。ほかのチームでも二十代のキャッチャーがレギュラーを張っているところは眼中になかった。その結果、残ったのが南海と広島で、テストを受けて南海に入団したのである。そして、その選択は間違っていなかった。

いまのドラフトはたしかにベストの制度とはいえないかもしれない。しかし、ルールはルールだ。それに、当初の目的だった「契約金の高騰抑止」はすぐさま骨抜きにされたものの、もうひとつの狙いだった「戦力の均衡」については、ある程度機能したといっていい。有力新人が特定の球団に集中することがなくなり、戦い方次第でどのチームにも優勝するチャンスが生まれた。

その結果、人気という点でも巨人中心主義は崩れ、フランチャイズの広がりもあいまって、それぞれの球団が地域の人々から熱烈な支持を得るようになっている。いまやパ・リーグのほうが人気でもセ・リーグを押しているほどだし、指名を受ける選手たちも、以前に較べれば巨人などの人気球団にこだわらなくなっている。

その意味で、ドラフト制度はプロ野球の健全な発展にそれなりの貢献を果たしたのはたしかだし、これからも存続させていくべきである——私はそう考えている。

3　ＦＡ制度は是か非か

二〇一六年のオフ、巨人がまたも大型補強を行った。横浜ＤｅＮＡの主力ピッチャー山口俊(しゅん)、ソフトバンクの左腕・森福允彦(もりふくまさひこ)をいちはやく獲得したのに加え、北海道日本ハムの陽岱鋼(ようだいかん)との契約にも成功した。

三人はいずれもＦＡを宣言した選手たち。ＦＡ選手を一度に三人も入団させたのは初のことだという。巨人以外でも、楽天が長らく西武投手陣を支えた岸孝之(たかゆき)を、阪神が攻走守揃ったオリックスの外野手・糸井嘉男(よしお)をやはりＦＡで獲得した。

あらためて説明する必要もないだろうが、ＦＡとは「いずれの球団とも選手契約を締結する権利を有する選手」のことをいう。以前は球団を移るには、クビになる以外にはトレードくらいしか方法がなかった。だから、望み、望まれての移籍ではないことも多かった。

しかし、ＦＡ制度ができたことで、八シーズンの出場登録があれば国内のいずれの球団とも契約できる「国内FA」の、そして九シーズンの出場登録で海外の球団にも移籍できる「海外FA」の権利を取得できるようになった。

七〇年代にメジャーで確立されたFA権

日本のプロ野球の制度はすべてそうだといっても過言ではないが、FAもまた、メジャーリーグから〝輸入〟したものだ。

意外に思われるかもしれないが、かつてはメジャーリーグでも、選手は契約期間中はほかのチームでプレーすることはできなかった。しかも、契約更新の権利は球団にあった。逆にいえば、球団に逆らった選手はプロ選手としての地位を剝奪（はくだつ）されかねなかったのだ。

そんな状況を変えるべく立ち上がったのが、ロサンゼルス・ドジャースのアンディ・メッサースミスというピッチャーだった。一九七四年、二十勝をあげたメッサースミスは、翌年の契約に「トレードなし」という条項を入れることを主張する。しかし、ドジャースは認めない。すると、メッサースミスは、契約を交わすことなく一年間プレーすると宣言したのである。

なぜか——。球団と契約を交わす際に用いる統一契約書に、保留条項としてこうあった。

「(前略）三月一日までに選手と球団が契約条件について合意にいたらなかった場合は、三月一日から十日以内に球団は独断でその年度の契約を更新できる」

このなかの「その年度の契約を更新できる」という文言の意味を、ドジャース側が「未来永劫可能」とみなしていたのに対し、メッサースミスは「一年間だけで、その年度の終わりには契約が切れ、FAになれる」と解釈したのである。

選手組合のバックアップを受けた彼は、実際に契約書にサインすることなく一年間プレーした。その結果、第三者による調停委員会はその主張の正当性を認め、「ドジャースとの契約はもはや存在しない」との裁定を下した。つまり、メッサースミスは「自由契約（フリーエージェント）選手である」とみなされ、FA制度が生まれることになったのである。

現在、メジャーリーグでは一シーズンを百七十二日と換算し、出場登録が六年に達した時点で（日本では故障などで二軍に送られた場合は一軍登録日数に加算されないが、メジャーの場合は故障者リスト入りしている期間も含まれる）、自動的にFA権を取得できる。

日本にもFAの前身といえる制度があった

これを真似するかたちで日本のプロ球界にFA制度が導入されたのは一九九三年のオフのこと。一九八五年に労働組合として認められた選手会の尽力によるところが大きかったわけだが、じつはそれ以前にFAの「前身」ともいえる制度があった。「十年選手制度」である。

一九四七年にはじまったもので、十年以上同一球団に在籍した選手には、自由に移籍する権利が付与された。この点ではアメリカより進んでいたといっていいだろう。一九四九年オフに阪神から毎日オリオンズに移籍した土井垣武（どいがきたけし）さんが、この制度を利用した選手の代表だ。

その後、一九五二年に改正され、十年以上同一球団で第一線で活躍した選手を「A級」、複数球団で活躍した選手を「B級」とし、A級には「ボーナスを受ける権利」と「自由移籍の権利」のどちらかを、B級にはボーナス受給の権利を保障するとともに、A級・B級の双方に「引退試合の主催権利」が与えられた。

この権利を行使して移籍した選手には、飯田徳治さん（南海→国鉄）、田宮謙次郎さん（阪神→大毎）、青田昇さん（大洋→阪急）らがいるが、よく知られているのは、一九六四年オフに国鉄から巨人に行った金田正一さんだろう。

十年選手の権利を得ることは、選手にとって勲章であり、憧れだった。権利を取得することを励みにしていた選手もたくさんいたと思う。南海の正捕手を務めていた私もそのひとりで、当然、その恩恵にも与る（あずか）ことができるはずだった。

ただし、私は移籍する気はなかった。なんといっても南海は、田舎の無名校出身の私を拾ってくれ、育ててくれた球団だ。大きな恩がある。移籍すれば年俸は上がるだろうが、お金だけのためにほかの球団に行くことは、人の道に反すると考えていた。南海ではじまり、南海で終わるつもりだった。

だから移籍は考えていなかったのだが、その代わりボーナスは楽しみにしていた。金額は選手によって異なったと思うが、一千万円くらいはもらえるはずだった。当時、一千万円あれば高級住宅街に家が買えた。

ところが、である。よりによって私が権利を取得する前年にこの制度が廃止されたのだ。資料によれば、一九七五年まで続いたとあるようだが、契約更改のときに私がボーナスを要求すると、球団社長からこういわれたのをはっきり憶えている。

「もう十年選手制度は終わったんだから、そんな要求をしても通らないよ」

まるで私の野球人生を象徴するような運のなさだが、そういえば引退試合もやってもらっていない。名球会でも私ひとりではないか？　西武で現役を終えることになったとき、引退試合の話は球団からはまったく出なかったので、自分から申し出た。「十年選手のお祝いもしてもらっていないから、せめてファン感謝デーでファンに挨拶させてください」

自分から頼み込んで挨拶させてもらったのは私くらいのものだろう。どうしてもファンにひと言、感謝の気持ちを述べたかったのだ。

ＦＡは選手にも球団にも両刃の剣

それはともかく、ＦＡ元年となった一九九三年、はじめて権利を行使したのは阪神からダイエーに移籍した松永浩美(ひろみ)で、その年はほかに駒田徳広(のりひろ)（巨人→横浜）、落合博満（中日→巨人）、石嶺(いしみね)和彦（オリックス→阪神）が宣言。その後、何人の選手がＦＡ宣言をしたのかは知らないが、毎年、「誰々がＦＡ権を取得する、あるいは取得した」ということが話題になっており、いまやオフの〝風物詩〟となった感がある。

二〇〇八年から国内ＦＡは、宣言した選手の所属球団での年俸順に、上位三人までをＡランク、四〜十位までをＢランク、十一位以下をＣランクに分け、Ａ・Ｂランクの選手を獲得する際には金銭もしくは人的補償が発生するようになったが、選手がFA権を行使する理由は、だいたい次のようなものだと想像できる。

1　優勝できるチームに行きたい
2　憧れのチーム（人気のあるチーム）でプレーしたい
3　海外でやりたい
4　出身地もしくは近辺のチームに行きたい
5　出場機会を増やしたい
6　お金

一方、球団にとってFAは——球団によっては戦力流出につながる可能性があるものの——手っ取り早く戦力を補強するための強力な手段にもなる。そこで思い出されるのはやはり、長嶋茂雄だろう。

一九九三年、巨人の監督に復帰した長嶋は三位に終わるや、そのオフに導入されたFA制度をさっそく活用し、落合を獲得。翌年にはヤクルトの広澤克己と広島の川口和久（かずひさ）、九五年には日本ハムの河野博文（こうのひろふみ）、九六年には清原和博、九九年にはダイエーの工藤公康、広島の江藤智と、次々と大物選手を入団させたのである。

　長嶋以降も巨人は、中日から野口茂樹、日本ハムから小笠原道大、横浜から門倉健、同じく横浜から村田修一、ソフトバンクから杉内俊哉、広島から大竹寛、西武から片岡治大といった有力選手を大枚を払って毎年のように獲得していった。

　ただし、これらの選手が金額と期待に見合うだけの活躍をしたかといえば、はなはだ疑問である。そして、そういう選手の多くが数年後には他球団に移籍している。巨人で選手生活をまっとうしたのは、いまのところ川口くらい。つまり、巨人にとってＦＡ選手はしょせん、よそ者であり、使い捨てなのだ。

　それがわかっていたから、広澤が「巨人に行きたい」といってきたとき、監督だった私は反対した。

「巨人というチームは生え抜き意識が強い。ヤクルトにいれば、将来は監督の目もあるんだからやめておけ」

　だが、広澤は「どうしても巨人に行きたいんです」といって、聞かなかった。「子どものころからの夢」だというのである。結果、広澤は九九年にあえなく巨人を自由契約となり、ちょうど私が阪神の監督になったので声をかけて阪神に入れたのである。

　そう、選手にとっても球団にとっても、ＦＡはいうなれば両刃の剣なのだ。

選手はいま述べたような願望を満たせる反面、たとえばFAを宣言しても獲得に名乗りをあげる球団がなく、もとの球団も契約を拒否した場合は任意引退に追い込まれる可能性がないわけではない（現実に二〇〇九年に宣言した日本ハムの藤井秀悟（しゅうご）がそうなりかけたようだ）。

また、とりわけ人気球団に移籍した場合のプレッシャーは想像以上に大きく、活躍できなければ風当たりも強くなる。

一方、球団は、FAをうまく使えば戦力アップが狙えることはいうまでもない。私が監督だったときは、ヤクルトでも阪神でも楽天でも、FA選手に逃げられたことはあっても獲得したことはほとんどなかったが、私のあとを受けて阪神の監督となった星野仙一は、片岡篤史（あつし）、金本知憲を補強し、十八年ぶりのリーグ優勝を果たした。横浜の正捕手だった谷繁元信を獲得した中日も、効果的な補強に成功したケースといえるだろう。

けれども、補強をFAに頼ったり、適材適所を無視した補強をしたりすれば、出場機会を奪われる若手が増え、育成もおざなりになる。そうなれば短期的に成果は出ても、長期的にはマイナスになりかねないのである。

日本に合った制度を考えよ

私自身、FAを決して否定するものではない。FA権は、ドラフト制度が存在するがゆえにプロ入り時に希望する球団に必ずしも入ることのできない選手たちが獲得した正当な権利であるし、チームづくりにおいても大きな意味を持つからだ。

「エースと四番は育てられない」

私はしばしば口にしてきた。エースと四番、すなわちチームの中心となる選手は、やはり天性が大きくモノを言う。エースと四番は「出会う」ものであり、「育てる」ものではないというのが現実なのだ。出会えなければ、FAなりトレードなりで獲得するしかないのである。

とはいえ、同時に——プロ野球＝お金であるから、選手が好待遇を求めるのは当然ではあるが——選手の年俸が高騰し、球団の経営を圧迫。結果として巨人や阪神、ソフトバンクといった資金力のある球団に移籍が集中するという事態を招いている（たとえば、陽をめぐってオリックス、楽天と争奪戦を繰り広げた巨人は、陽に五年契約・十五億円を払ったという。彼にそれだけの価値があるのか私には疑問だが……）。

また、FA選手の獲得には人的補償が必要となる場合も生じ、望まない移籍を強いられる選手も出てくる。

さらに、一九九七年にＦＡ宣言したヤクルトの吉井理人がニューヨーク・メッツと契約したのを皮切りに、有力選手が次々とメジャーリーグにＦＡで移籍するようになり（吉井以前の野茂英雄、伊良部秀輝、長谷川滋利はＦＡによる移籍ではなかった）、人材の海外流出がさらに進む結果にもなった。

なにより、私は思うのだ。

「ＦＡという制度は、果たして日本人に合っているのだろうか――」

最近は稀薄になったのかもしれないが、いい意味でも悪い意味でも、義理人情に篤いのが日本人である。事実、当然の権利であるにもかかわらず、ＦＡ宣言したときに涙を見せる選手は少なくないし、「裏切り者」とみなすファンもいるようだ。ＦＡを宣言して残留する選手も増えている。時代は変わっても、生え抜きをよしとする意識は、善悪は別にして、いまだ日本人のなかに根強く残っていると思われる。

そもそも、何でもアメリカの真似をすればいいというものではあるまい。日本人の気質、社会に合致した独自のルールをつくるべきではないか。

前項で、「ドラフトは存続させるべき」と私は述べた。有力な選手が巨人のような特定の人気球団に集中することがなくなり、戦力の均衡が進んだからである。

しかし、そのときも指摘したように、いまや巨人中心主義は崩壊したといっていい。人気は依然ダントツではあるが、「どうしても巨人に入りたい」という高校生、大学生、社会人は少なくなっているだろう。だいたい、巨人のように育てるのが下手くそなチームに指名されてしまえば、せっかくの金の卵も孵化しないで終わりかねない。

ならば、いっそのことドラフトを廃止し、好きなチームや出場機会がありそうなチームと自由に交渉できるようにして、FAはなくしたほうがいいのではないかとも思わないでもないのである。いずれにせよ、FAのあり方についていま一度プロ野球全体で考え直し、選手・球団双方にメリットのある制度を模索するべき時期にきているのではないだろうか。

4　球界再編と史上初のストライキ

発端は、近鉄とオリックスの合併が画策されているという事実が表面化したことだった。

二〇〇四年一月、近鉄球団は経営難から「近鉄」のネーミングライツ（命名権）を売却することを発表した。

しかし、他球団から「協約違反」との反発を受け、これを撤回。その後、オリックスと合併交渉中であることが明らかになり、六月十三日には両球団が基本的に合意したとの発表がなされた。

その後、七月七日に西武ライオンズの堤義明（よしあき）オーナー（当時）が「もうひと組の合併が進んでいる」と発言。合併の発表以来くすぶっていた一リーグ・十球団制移行への流れが、一気に加速することになったのである。

七球団の時代もあったパ・リーグ

日本のプロ野球リーグは一九三六年、東京巨人軍、大阪タイガース、名古屋軍、東京セネタース、阪急軍、大東京軍、名古屋金鯱軍の七球団でスタートした。むろん、一リーグだった。その後、南海軍が加盟するなど幾度かの変遷を経て、基本的には一リーグ八球団の状態が戦後一九四九年まで続く。

現在のようにセントラル、パシフィックの二リーグ制になったのは、一九五〇年からのこと。前年に毎日新聞の加盟をめぐって既存の八球団が反対派と賛成派に分裂し、それぞれが新設球団を加えて、セントラル、パシフィックのリーグを設立したのである。日本シリーズもこの年にはじまった。

当初、セ・リーグは八球団、パ・リーグは七球団でスタートした。セ・リーグは一九五三年に六球団となったが、パ・リーグは七球団制が維持された。しかし、七球団では試合ができなくなるチームができてしまう。そこで、大映スターズの名物オーナーだった永田雅一(まさいち)氏の提案により、新球団を創設し、加盟させることになった。それが〝幻の球団〟といわれる高橋ユニオンズである。私がプロ入りした一九五四年のことだ。

高橋は、大日本麦酒の経営者だった高橋龍太郎氏の個人球団だったが、いかんせん急造のため選手がいない。そこで各チームが選手を供出することになり、そのなかには、かのヴィクトル・スタルヒンもいた。

高橋は翌年、トンボ鉛筆と提携し、トンボユニオンズとなったが、三年目には再び高橋ユニオンズに戻り（この年、のちに『プロ野球ニュース』のキャスターとして知られることになる佐々木信也（しんや）氏が慶應義塾大学から入団し、西鉄の稲尾和久と新人王を争った）、結局、そのシーズンかぎりで消滅する。経営難から大映に吸収合併されることになったのである。わずか三年の活動だった。そして、その大映もその翌年には毎日オリオンズと合併。パ・リーグも六球団制となり、現在にいたっているのである。

地域密着を怠ったことが経営難を招いた

話を二〇〇四年に戻せば、オーナー側が一リーグ制に傾いた最大の理由は経営難だった。近鉄の赤字は四十億円だったというが、とくにパ・リーグの球団はいずれも十億円程度の赤字を出していたと聞く。

それを減らすためには観客を動員しなければならない。そのためにはセ・リーグのチームと、要は巨人と試合をしたい――はっきりいえば、それが一リーグ制が浮上した理由だろう。

だが、それではなぜ、多くの球団が赤字に悩むようになったのか――。

「地域密着を怠ってきたから」

もっとも大きな原因はそこにあると私は思っている。

プロ野球は、そもそもが企業の宣伝媒体としてスタートしたこともあって、地域との密着をはかろうという意識に乏しかった。

だから東京や大阪近郊に球団がいくつも集中することになったわけだが、おたがいにお客さんを食い合うのだから、一部の人気球団を除けば、経営が苦しくなるのは当然なのである。

現役のころから、私はオーナーや球団社長に会うたび、口癖のようにいったものだ。

「高校野球がどうしてあれだけ人気があるのか考えてみてください」

高校野球は、レベルでいえばプロ野球には遠く及ばない。にもかかわらず、甲子園には連日、プロ野球をしのぐほどの観客が押し寄せ、それ以上の人々をテレビの前に釘付けにする。

その最大の理由は、「おらがチーム」にあると私は見ていた。人は誰しも生まれ育った故郷や長らく暮らしている土地に思い入れがあるものだ。だから、地元の代表校は気になるし、応援したくなる。母校でなかったとしても、野球に興味がそれほどなかったとしても、だ。

プロ野球だって同じ。高校野球を参考に、「おらがチーム」をつくらなければいけないと考えていた。だから南海時代は「四国か、南海電車が走っている和歌山に行きましょうよ」とことあるごとに提案した。関西には四つも球団があったからだ。ヤクルトの監督時代は、「北海道に移転しませんか」と持ちかけたが、いずれも一笑に付されただけだった。

球団だって、早晩、経営が成り立たなくなることはわかっていたはずだ。にもかかわらず、危機感がなかったのは、社長の多くはしょせん親会社からの出向の身であることに加え、赤字であっても最後は親会社が面倒を見てくれると考えていたからだろう。

事実、親会社の多くは球団の赤字を宣伝広告費として補塡（ほてん）してきた。しかし、その額が大きくなりすぎ、もはや限界に達したというのがこの時期だったのではないか。

選手会よ、よくやった

しかし、事態はオーナー側の思惑通りには進まなかった。プロ野球選手会が近鉄とオリックスの合併に強硬に反対、「二リーグ・十二球団制維持」を要求したのである。しかも、巨人の渡邉恒雄オーナー（当時）が、「オーナーと直接話がしたい」と対話を求めた古田敦也会長に対し、「無礼なことをいうな。分をわきまえなきゃいかんよ。たかが選手が」と吐き捨てたことで、ファンも猛反発。オーナーのなかにも、二リーグ制維持を主張する者が現れた。

しかし、近鉄とオリックスの合併は九月八日、オーナー会議で正式に承認される。この決定を受けて選手会は、「合併の一年間凍結もしくは来季からの新球団加盟」を求めてプロ野球機構・球団側と数度の労使交渉を行うが、最終的に決裂。九月十八、十九日の両日、ついに史上初のストライキを敢行することになったのである。

合併および一リーグ制に対する私の意見を述べておけば、いずれも反対だ。過去に合併した球団はいくつかあったが、いずれもうまくいかなかったし、順序としても近鉄は売却を検討するのが先で、合併ありきという考え方はおかしい。一リーグ制ではファンが楽しみにしている日本シリーズも開催できなくなってしまう。

ただし、正直にいえば、ストライキをするという話を聞いたとき私は、賛成の意を表明しながらも、「野球選手がストライキなんて……」と思わないでもなかった。

私の時代にも選手会はあったが、それはいわば親睦団体であり、労働組合として認められていたわけではなかった。だから、選手会としてプロ野球に対して何かを主張するなどということは考えもしなかったし、オーナー側が選手の意見など聞くわけがないと思い込んでいた部分もある。

なによりプロ野球はあくまでファンあってこそ。試合を拒否することは、ファンを無視した行為とそのときの私には感じられたのである。

しかし、ファンは選手会を熱狂的に支持した。その結果、オーナー側も二リーグ・十二球団制を維持せざるをえなくなった。そして、新球団として東北楽天ゴールデンイーグルスが新たに創設され、ホームをそれまで球団のなかった東北・仙台にかまえることになった。

いまでは福岡のソフトバンク、北海道の日本ハム同様、地域にしっかり根づいている。「おらがチーム」となっているのである。おかげでいまやパ・リーグは、人気選手が多数入団したこともあって、実力だけでなく、人気でもセ・リーグをしのぐほどになったといってもいいだろう。

「選手会よ、よくやった。偉い」

いまはそういってやりたいと思う。

球界再編は縮小ではなく拡大を

とはいえ、現状を肯定するだけでは、近い将来、同じ問題が生じないとはかぎらない。関係者はさらなる発展のため、努力し続けなければならない。

そのためにプロ野球全体として考えるべきは、縮小ではなく、むしろ拡大だと私は思う。それが底辺を広げることになる。

半世紀以上、この世界で生きてきてあらためて感じることは、都市集中の時代は終わったということだ。経営が苦しいなら、四国や北陸などプロ球団のない地方に出てゆけばいい。そして、その地域のメディア、テレビ局や新聞社にも経営に関わってもらい、さらに自治体にも協力を仰いで、地域密着を進めるのだ。実際、Jリーグはそうやって成功したではないか。

球団数も増やしていいだろう。たとえば、各リーグ八球団にして、これを四球団ずつ東西に分けてリーグ戦を行ってはどうか。そして、東西の優勝チームがプレーオフでリーグ優勝を決めるのである。四球団ならばどのチームにも優勝のチャンスが出てくると思うし、いわゆる消化試合も減るはずだ。

もうひとつ、解決しなければならないのはプロとアマの垣根の問題だろう。具体的には、プロ野球を頂点とし、少年野球までを管轄する統一組織を構築するべきだと思う。

日本のスポーツ界を見渡しても、ピラミッド型の組織がないのは野球界くらいではないか。おかげでそれぞれの組織が勢力争い、縄張り争いをしている。いまは若干緩められたとはいえ、以前はプロ野球関係者が高校生を直接指導することは禁じられていたし、私が社会人シダックスの監督だったときにはこんなことがあった。大学のチームと試合をすることになったのだが、私のベンチ入りが許されなかったのである。

「タレントとの野球は認められない」

日本学生野球憲章にそうあったらしい。

「私はタレントではない」と抗議したが、「コマーシャルに出ているからタレントだ」と却下された。

プロとアマの関係が悪化したのは一九六一年、中日が「秋の社会人選手権が終わるまでプロ側はアマチュアの選手と契約をしてはならない」という取り決めを破り、日本生命の柳川誉造（しげぞう）（当時は福三）という選手と契約を交わしたことが発端だという。これに怒った社会人側がプロ出身者の受け入れを拒否、学生野球界もこれにならったのだという。

アマ側の言い分もわからないではないが、しかし、そんな状態を続けることに、おたがい何のメリットがあるというのだろう。過去は過去として清算し、垣根を取り払ったほうが、どれだけ得るものが多いか。裾野が広がり、おたがいに刺激を受け、全体の競技レベルも上がるに違いない。プロ野球側からもアマチュア側に積極的に働きかけ、一刻も早く〝野球界〟の再編を進めるべきではないか。これは私の願いである。

第五章
21世紀の、そして未来のプロ野球へ

1960年の富山球場での日米野球で、サンフランシスコ・ジャイアンツのウィリー・メイズと野村克也の写真を撮る金田正一。（写真提供：読売新聞社）

1　野球レベルの低下とトリプルスリーの関係

二〇一五年シーズンは、セ・パ両リーグですばらしい記録が生まれた。ヤクルトの山田哲人とソフトバンクの柳田悠岐が、いわゆる〝トリプルスリー〟を達成したのである。

トリプルスリーとは、打率三割、三十本塁打、三十盗塁を同時に記録することである。すなわち、技術、パワー、そしてスピードをいずれも高いレベルで持ち合わせていなければならず、達成は非常に困難といわれる。

事実、プロ野球八十年の歴史でこれを記録したのは、それまでわずか八人しかいなかったという。

それが一年にふたりも出現したのだから、まことに画期的。プロ野球が新時代に入った観がある。

天が二物を与えた山田と柳田

　山田と柳田に驚かされるのは、あの身体でよくぞホームランを三十本も打ったということだ。身長は柳田が百八十八センチ、山田も百八十センチあるそうだが、身体つきは両選手とも細い。とてもホームランを量産するようなタイプには見えないのである。

　私の現役時代は、三十本塁打をマークして、かつ盗塁を三十個もするなどということはまずなかった。私は三十本塁打以上を十回記録しているが、盗塁はいちばん多く走った年で十三個。王貞治にしても、一本足になる前の一九六一年の十個が最高だ。田淵幸一(こういち)にいたってはせいぜい一、二個で、ゼロというシーズンも多い。現在の球界を代表するホームランバッターである中村剛也(たけや)(西武)や中田翔(日本ハム)にしても、数えるほどだろう。

　逆に、打率三割、三十盗塁をマークできるバッターは往々にしてホームランが少ない。イチローがトリプルスリーを達成していないのはそれが理由だ(とはいえ、一九九五年には二十五本塁打を放ち、トリプルスリーにあと一歩というところまで迫ってはいるのだが)。

実際、ホームラン王と盗塁王を〝同時に〟獲得したのは山田が史上初。ホームラン王と盗塁王の両方のタイトルを併せ持つ選手も秋山幸二しかいない。こうしたことからも、トリプルスリーがいかに卓越した記録であるかは論を俟たない。まさしく天は二物をこのふたりに与えたと認めざるをえない。

とくに柳田には早くから注目していた。そして、いつも思ったものだ。

「ソフトバンクの指導陣はよく我慢しているな……」

なにしろ、文字通り「天井に向かって」打っている。ふつうのバッターは、打ったあとのフォロースルーが肩の高さあたりにくるものだが、柳田はスイングしたあとのグリップが顔の横あたりにある。まったく理にかなっていない。

まっとうな指導者なら口を出したくなる。私が監督でも、おそらく矯正しようとしただろう。

昔、東映に飯島滋弥さんというコーチがいて、のちにホームランバッターとして大成する大杉勝男を指導する際、「月に向かって打て」と命じたという話があるが、大杉は実際にはきちんとレベルスイング（水平に振る）で打っていた。

私ほど長く、かつ多くの試合と選手を見てきた人間はそうはいないと思うが、そんな私でも、柳田のようなバッターは見たことがない。まさしく突然変異。ほかのバッターに「真似をしろ」とは口が裂けても言えないし、誰も真似できない。理解不能というしかない。

「ホームランか三振か」というのならわかる。あのスイングで打率を稼ぐことができるのが不思議なのだ。思うに、アッパースイングに見えても、インパクトの瞬間はレベルスイングになっているのだろう。でなければ、あれだけの高打率を残せるはずがないのだ。

一方の山田については、バッティングを見る機会はそれほど多くないのだが、インコースのさばき方が非常にうまいという印象がある。二〇一五年九月末の巨人戦で、ふつうならファウルになる内角球を、うまく腕をたたみ、膝をクルッと回してレフトスタンドに運んだのには、舌を巻いた。対面したとき、「握力は強くない」と話していたが、じつは私や王もそうで、これも力任せのスイングにならない点で奏功しているのかもしれない。

山田はヤクルトの二〇一〇年のドラフト一位だが、斎藤佑樹（日本ハム）と塩見貴洋（東北楽天）のふたりをクジで外しての指名である。ヤクルトはじつにいい選手を獲った。発掘したスカウトにはボーナスをあげていいと思う。

アスリートの時代到来

ところで、記録によれば、トリプルスリーは一九五〇年に岩本義行さん（松竹）と別当薫さん（毎日）が達成したのが最初だという（ちなみにこの年は、川上哲治さんは二十九本塁打、青田昇さんは二十九盗塁に終わり、ともに逃したそうだ）。三人目は中西太さん（一九五三年）。ほとんどの方は中西さんが走る姿は想像できないかもしれないが、当時はまだ二十歳。なかなかの駿足だったから、それほど不思議ではない。

しかし、四人目は一九八三年の簑田浩二（阪急）まで待たねばならなかった。長嶋茂雄は一年目に三割、三十盗塁はクリアしたが、ホームランが一本及ばず（もっとも、一塁ベースを踏み忘れて取り消された〝幻のホームラン〟を含めればトリプルスリーだが……）。張本勲（東映）は一九六三年に三十三本塁打、四十一盗塁をマークしながら、意外にも打率が二割八分に終わり、やはり逃している。

中西さん以来、三十年以上も達成者がいなかったのは、この記録自体がそれほど注目されていなかったこと、「足の速い選手しか盗塁する資格はない」という固定観念が根強かったことなどが影響していると思われるが、逆に近年、狙える選手が増えてきた背景には、アスリートと呼ぶにふさわしい選手が多くなっていることがあるのではないか。とくにイチローの登場以降、走攻守揃った選手が急増した観がある。

アスリートタイプの選手が増えた理由のひとつとして、トレーニング法が進化したことが考えられる。私が若かったころのプロ野球のトレーニングは、「ひたすら走る」というものだった。いまとなっては馬鹿げた話だが、ウエイトトレーニングは御法度。ピッチングやバッティングに不要な筋肉がつき、かえって害になるという考え方が主流だった。重いものを持つことさえ禁じられた。とくにピッチャーは、「肩を冷やす」という理由で水泳も止められた。

けれども私は、あえて筋トレに力を入れた。当時の南海のレギュラー捕手だった松井淳さんはバッティングに難があり、追い抜くためにはパワーをつけることが必要だと考えたからだ。

握力をつけるために軟式のテニスボールを握り、醬油の一升瓶に砂をつめてダンベルの代わりにした。当時、そんなことをしている選手はほかにいなかったが、日米野球で見たメジャーの選手はもちろんのこと、日本でもホームランを打つ選手は、中西さんを筆頭にみなすごい身体をしていた。「筋トレをしてはいけない」というのは、たんなる迷信に過ぎないと思っていた。

それに、クビになって辞めていく先輩たちが、異口同音にこういうのをさんざん聞いてきたこともある。

「もっとがんばっておけばよかった……」

そういう後悔だけは絶対にしたくなかった。

現実に効果はあった。強い打球が打てるようになったのだ。効果を自分で実感したからさらに興味がわいて、いっそう筋トレに精を出したものだった。

結果として、私は正しかった。いまは誰もが筋トレに力を入れるようになった。内容もきちんと科学的な裏付けがなされ、ずいぶんと進化している。山田と柳田があの身体であれだけボールを遠くに飛ばすことができるのも、このことと無縁ではないだろう。柳田は高校時代から地元のジムに通っていたそうだ。

もうひとつ、食事もずいぶんと変わった。近年はどのチームも合宿所に栄養士を置いて、選手の食事管理を重視しているが、昔はひどかった。

前にも書いたが、とくに南海はケチで有名だったから、合宿所の食事はお粗末極まりなかった。おかずなどほとんどないから、どんぶり飯で腹をふくらませるしかない。たまに先輩が食事に誘ってくれたときは、食べた、食べた。「おまえ、よく食うな」といつも驚かれていた。

「野球選手は食うのも仕事」と考えていたから、一軍に上がってからは、ほとんど毎晩外食だった。われわれの世代はごちそう＝肉。ひたすら肉を食らった。なにしろ、肉なんて一年に一回、正月に母親がすき焼きを作ってくれるときしか食べることがなかった。だから、栄養のバランスなんか全然考えないで、大阪・千日前（せんにちまえ）の焼肉店に毎日のように通ったものだ。

トリプルスリーはレベル低下の表れ？

こうした進化もあって、昔と較べればいまの選手は格段に身体が大きくなり、パワーもスピードも増しているのは事実だろう。とはいえ、野球としてのレベル、醍醐味は逆に低下していると私には感じられてならないのも事実である。

野球とは本来、ただ思い切り投げて、打って、走るだけのスポーツではない。山田と柳田の実力と成績にケチをつけるつもりは毛頭ないが、ふたりがトリプルスリーを達成できたのは、相手バッテリーがあまりにも無策だったからという面も無視できないのではないか。

私はバッターのタイプを四つに分類している。基本的にストレートを待ちながら変化球にも対応するA型。インコースかアウトコースか、コースを絞るB型。右に打つか左に打つか方向を決める、すなわち引っ張るのか流すのかを決めるC型。そして球種を絞る、言い換えればヤマを張るD型の四タイプである。

山田も柳田も、私の見るところ、A型だ。長嶋や王と同じく典型的な強打者、天才タイプである。このタイプは、たしかにバッテリーにとっては怖い。が、じつはもろさも同居している。反応を見て、きちんと配球を組み立てれば、案外処しやすいのだ。

実際、日本シリーズでヤクルト・バッテリーは柳田をほぼ完璧に封じ込めた。柳田は、意外なことに内角低めが苦手なのだという。ストライクゾーンを九分割したコース別に柳田の成績を見ると、真ん中は五割近く、その左右と高めの内外角、真ん中低めは四割以上、そして真ん中高めと外角低めも三割以上を記録しているが、唯一内角低めだけは二割四分程度しか打っていなかったそうだ(あのスイングだから内角低めは得意だと思っていたが、想像するに、一瞬早くボールから目を離してしまうのではないか。私はよくいうのだが、「得意コースのすぐそばに弱点がある」のである)。

このデータをもとに、ヤクルト・バッテリーはあえて強気に内角を攻め、五試合で十九打数三安打、打率一割五分八厘に抑え込んだのだ(ちなみにヤクルトのバッテリー・コーチは私の息子の克則(かつのり)である)。

このように、対戦チームのバッテリーがしっかりと対策を練って臨めば、それほど打たれることはないはずなのだ。少なくとも、ホームランは防ぐことができる。トリプルスリーをいとも簡単に達成されてしまうのは、一方でプロ野球のレベルが低下していることを如実に物語っているといえるのである。

野球がうまくてイケメン。それがスターの条件

とはいえ、トリプルスリーが脚光を浴びるようになったこと自体は、プロ野球界にとって非常にいいことだと私は考えている。これまでただ打つだけだったバッターが、トリプルスリーを目指そうという意識を少しでも持つようになれば、プロ野球はさらに活性化する。

そもそも、ホームランを打つから走らないでいいという道理はない。先ほど私の盗塁記録は十三個が最高と述べたが、逆に「そんなに走ったの？」と驚かれた方も少なくないのではないか？　お世辞にも駿足とはいえない私だが――断っておけば、もともとは速かった。キャッチャーをしているうちに遅くなったのだ。走るのに邪魔になる筋肉がついてしまったのだろう――生涯で百十七盗塁を記録している（そのなかに

はホームスチール七個も含まれている)。

私は考えてみたことがある――塁間は二十七・四三一メートル。世界の盗塁王、福本豊と私が「よーいドン」で一緒に走ったら、どれくらい離されるだろうか。せいぜい一メートルだろう。

「ならば、一メートルぶん早くスタートすればいいではないか――」

ランナーを置いたときのピッチャーのクセや牽制の傾向(一度牽制したら二度はしないなど)をみつけ、さらに配球を読めば、それは不可能ではない。盗塁を成功させられるかどうかは、足の速さだけで決まるのではない。〝興味〟の問題なのである。

ホームランバッターや強打者というものは、とかくこう考えがちだ。

「自分がホームランを打つことが、ヒットを打つことがチームに貢献することになる」

だが、ホームランを何本打とうと、ヒットをどれだけ量産しようと、チームが勝たなければ意味はない。大切なのは、それぞれが「チームが勝つために自分は何をすればいいのか」考えることだ。ホームランバッターであっても、状況によっては出塁することを最優先に考え、塁に出たら、隙あらば次のベースを狙うという姿勢を見せるべきなのである。その意味で、トリプルスリーの価値がクローズアップされ、選手が走塁に興味を持つようになることはいい傾向だと私は思うのだ。

なにより、ダルビッシュ有や田中将大をはじめ、有力選手が次々とアメリカに行ってしまうなか、山田や柳田のような新しいスターの台頭は大変喜ばしい。とくに山田はイケメンで独身。女性ファンも多いことだろう。

女性に人気があるということは、非常に大切なことだ。飲食店などではまずは女性客を呼び込むことで男性客の集客につなげるそうだが、野球も同じことがいえる。女性ファンが恋人や男性の友人・知人を球場に誘うことで、さらなるファンの獲得につながるはずである。

したがって、野球がうまくて、しかもイケメン――これからの野球選手は、こうでなければいけない（そう考えると、私はつくづくいい時代に野球をやっていたという気があらためてするのだが……）。

あとは、彼らが公私ともに、監督が「あいつを見習え」とほかの選手にいえるような「チームの鑑」になること。それを切に望みたいと思う。

2　二刀流は是か非か

二〇一六年のプロ野球は、日本ハムの日本一で幕を閉じた。その立役者のひとりが〝二刀流〟大谷翔平であることは、誰もが認めるところだろう。

四年目を迎えたそのシーズン、打っては打率三割二分二厘、百四安打。五月に五試合連続アーチを放ったのを含め、ホームランは二十二本。前年の五本から大幅に増加した。

一方、投げては三年連続二桁勝利となる十勝をマーク。規定投球回数に三イニング足りないため、二年連続のタイトル獲得はならなかったが、防御率一・八六はリーグトップである。また、クライマックスシリーズ・ファイナルステージ第五戦では、公式戦史上最速の百六十五キロを連発し、自身が持つ最速記録を更新した。

とりわけ光るのは、ソフトバンク戦での奮闘ぶりだ。ピッチャーとして四試合に登板、二勝〇敗、防御率一・二六。バッターとしては二十一試合で打率四割一分一厘、九本塁打、十六打点。七月三日には「一番・ピッチャー」としてスタメン出場、先頭打者ホームランを放ち、八回無失点、十奪三振で勝利投手にもなっている。この活躍が対ソフトバンク十五勝九敗という戦績となって表れ、最大十一・五ゲーム差をひっくり返す大逆転につながったといっても過言ではない。

広島との日本シリーズでも、二連敗して迎えた第三戦の延長十回にサヨナラヒットを放ち、第一戦のKOを帳消しにするとともに、流れを日本ハムに引き寄せ、四連勝に結びつけた。まさしく二刀流開眼のシーズンだったといっていいだろう。

二刀流の系譜

大谷の出現で一躍注目された二刀流だが、プロ野球八十年の歴史を遡れば、大谷が初というわけではない。

伝説となっているのは景浦将（まさる）さん（大阪）である。景浦さんは、一九三六年の秋シーズン（当時は春・秋の二シーズン制だった）に野手として三十一試合に出場する一方、ピッチャーとしても六勝〇敗、防御率〇・七九をマーク。巨人との年度優勝決定戦第一戦では、敗れはしたもののあの沢村栄治さんと投げ合って完投し、打っては沢村さんから場外へスリーランを放ったと記録にある。そして翌年は四番を打ち、春は打点王、秋は首位打者を獲得、ピッチャーとしても春は規定投球回数を投げ、十一勝、防御率〇・九三という記録を残している。

その景浦さんを上回る成績を残したのが野口二郎さんだ。東京セネタースに入団した一九三九年、いきなり三十三勝。翌年も三十三勝をあげ、〇・九三で最優秀防御率に輝いたのをはじめ、通算二百三十七勝を記録した野口さんだが、バッターとしても阪急時代の一九四六年に当時のプロ野球記録となる三十一試合連続安打を記録するなど、実働十三年で通算八百三十安打。規定投球回数と規定打席の両方を満たしたシーズンが六回もあったという。

私の前のヤクルトの監督だった関根潤三(じゅんぞう)さん(近鉄↓巨人)も、バッターとして通算千本安打、ピッチャーとして通算五十勝を達成。二リーグ制以降、唯一ピッチャーと野手の両方でオールスターに出場しているし、外山義明(とやまよしあき)というヤクルトのピッチャーは、一九七一年、三原脩監督のもとで五勝(十一敗)をあげるとともに、外野手としても二十一試合に出場。八月の大洋戦には、大谷同様、「一番・ピッチャー」としてスタメンに名を連ねたこともあった。

また、金田正一さんは、ピッチャーとして空前絶後の四百勝をあげたのは知られているが、代打としてもしばしば出場。通算本塁打三十八本のうち、二本は代打だったという。本人によれば、八回も敬遠されたそうだ。

メジャーリーグに目を転じれば、なんといってもベーブ・ルースの名前があがる。もともとピッチャーだったルースは、ボストン・レッドソックス時代の一九一五年、十八勝をあげる一方で、打率三割一分五厘、四本塁打をマーク。一七年は二十四勝十三敗、打率三割二分五厘。そして一八年には十三勝、十一本塁打（ホームラン王）で、史上初の〝十勝・十本塁打〟を達成した。メジャーリーグでもこれは唯一の記録だという。

ただし、ベーブ・ルースも前述の景浦さんも、真の二刀流はある時期までで、その後はバッターに専念することになった。このように、ピッチャーとして入団もしくはスタートしたものの、途中からバッター一本に絞ったケースとなれば、それほどめずらしくない。

有名なのは川上哲治さんだろうか。川上さんは熊本工時代、のちにともに巨人に入団し、戦死するまで正捕手を務めた吉原正喜（まさき）さんとバッテリーを組み、全国中等学校優勝野球大会（現在のいわゆる夏の甲子園）で二度準優勝。巨人にもピッチャーで入団したが、その年の秋のシーズンにはバッターに転向した。

〝ミスター・タイガース〟こと藤村富美男さんも、旧制中学時代にエースとして夏の甲子園に五度出場（優勝一回）。一九三六年、設立されたばかりの大阪タイガースにピッチャーとして入団し、一年目から開幕投手を務めて一安打完封勝利をあげたが、内野手が不足していたことから野手としても出場。秋シーズンには二本塁打でホームラン王を獲得し、二年目からは本格的に内野手に転向している。

また、王貞治も一度も公式戦で登板することはなかったとはいえ、春の甲子園の優勝投手として巨人に入団しているし、比較的近年では、ピッチャーとして大洋入団一年目で初先発初勝利をあげたものの、三年目のオフにみずからバッター転向を申し出た石井琢朗（たくろう）や、やはり三年目から日本ハムで外野手になった糸井嘉男の例がある。

私自身、阪神の監督時代には外野手の新庄剛志（つよし）に――本気ではなく、あくまでもやる気を引き出すのが目的だったが――キャンプでピッチャーをやらせたことがあった（ちなみにピッチャーに専念したり、転向したりするケースが見当たらないのは、それだけピッチャーに求められる天性が多く、難しいからだろうが、毎日試合に出られるバッターのほうが給料をたくさんもらえるからという理由もあったらしい）。

なぜ私は二刀流に反対したか

そもそも、プロに入ってくるような選手は、アマチュア時代は〝エースで四番〟が多い。

私自身、中学で野球をはじめたときはピッチャー志望だった。いちばん格好よく見えたからだ。だが、肩が弱かったうえ、同級生にいいピッチャーがいたので、一か月ほどでキャッチャーになった。

「おまえは胴長短足で据わりがいい。おまえが受けると投げやすいんだ」

同級生にそういわれたのである。あのままピッチャーを続けていたらいまの私はないことは確実だが、それはともかく、学生時代にピッチャーをしていたことがあるバッターは、イチローや清原和博を筆頭に枚挙にいとまがない。中田翔も高校時代はエースで四番だったが、肩を痛めてバッター一本になったと聞く。つまり、二刀流に挑戦できる選手は存在しないわけではない。ならば近年、なぜ二刀流は姿を消していたのだろうか。

精神野球の時代ならまだしも、いまの野球は——技術的にどうかは別として——レベルが格段に上がっている。天性だけで、気合と根性だけでなんとかなるものではない。現在は、頭を使うシンキング・ベースボールからさらに進んで、情報野球の時代に入っている。つまり、ピッチャーもバッターも徹底的に研究される。いくら高い能力を持っていても、ピッチャーとバッターの両方をこなすのは不可能といっても過言ではないのだ。

だから、大谷が二刀流を宣言したとき、私はいった。

「プロ野球をナメるな！」

大谷の才能を疑ったのではない。いや、むしろ類まれなる逸材であるからこそ、投打ともに中途半端になり、才能を浪費することを危惧したのである。

それに、どれだけの成績を残せば、二刀流として合格点を与えられるのか。登板しない日は野手としてフル出場してはじめて真の二刀流といえる。最低でも規定投球回数、規定打席到達はノルマだろう。

完投したからといって翌日休むのを許すのは、チームの私物化を意味する。

大谷の二刀流を成功させるためにチームがあるのではない。チームが勝つために二刀流をこなすというかたちでなければならない——私はそう考えたのだ。

大谷、神の子、不思議の子

しかし、いまでは完全に考えをあらためた。あれだけの成績を残されたら、文句のつけようがない。日本シリーズも大谷のワンマンショーだった。あのピッチングとバッティングを見せられれば、栗山英樹でなくても二刀流をやらせたくなる。私が監督でもそうだ。

私は景浦さんを見たことがないし、野口二郎さんとも対戦したことはないが、大谷ほど投打の両方でこれだけ高いレベルのパフォーマンスを見せた選手は過去にはいなかったと思う。日本だけでなく、メジャーリーグでも「足の長い強打者はいない」という定説があったが、これも打ち破った。大谷の登場は、まさしく革命だった。

ピッチャーとして百六十キロのボールを投げられるだけでも稀有な存在なのに、アウトコース低めに投げ込むコントロール、すなわち私がいう「原点能力」も備えている。あとはバッターが嫌がる球種をひとつ身につければ鬼に金棒だ。

バッターとしても、一球目の見逃し方を見ていると、ただ来た球を打ち返すのではなく、あらかじめ球種なりコースなりをある程度絞っているのが見受けられる。あれだけの天性を持ちながら、それに頼ることがないのは、さすがというしかない。ピッチャーとしてもバッターとしても、掛け値なしの天才である。

何度か話す機会があったが、性格もよかった。謙虚で自惚れたところがないし、女性にもさぞかしモテるだろうに、うわついたところもなかった。まだ若いのだから、もう少し我を出してもよかろうにと思わないでもないが、自分がもっと成長するためにはどうすればいいか、しっかり考えているようだった。

なにより、彼が登場すると「何かが起こる」という雰囲気がスタジアム全体に横溢する。スーパースターとは、そういうものだ。理屈では説明できない、計り知れない「何か」を持っているのである。

事実、シーズン終了後に行われた、WBCに向けた侍ジャパンの強化試合でも、オランダとの第三戦は四点リードされての五回にチームの沈滞ムードを吹き飛ばすホームラン。六点を追う七回に代打で登場した第四戦では、東京ドームの天井を直撃する〝二塁打〟。この一打をきっかけに日本はこの回、一挙に六点を奪い、同点に追いついた。

まさしく〝神の子、不思議の子〟と呼ぶしかない。このまま二刀流を続け、最多勝とホームラン王の両方を獲得するくらいの偉業を成し遂げてほしいと思う。

大谷にやられっ放しで恥はないのか？

ただし――私は他球団の選手たちには声を大にしていいたい。

「このまま大谷の二刀流を成功させていいのか？」

もしわれわれの時代に大谷のような選手が現れていたら、「なめられてたまるか！」と、よってたかってつぶしにかかったはずだ。大谷にいいようにやられているピッチャーやバッターを見ていると、「プロとして恥ずかしくないのか、意地はないのか？」と問いたくなる。

たしかに大谷の能力は傑出している。しかし、どんなバッターもピッチャーも必ず弱点はある。いくら大谷が百六十キロを連発するといっても、バットには当てられている。意外にストレートで空振りがとれていない。

私が対戦したなかでもっとも速かったのは、阪急にいた山口高志（たかし）だが、彼のボールはストレートしかないのにバットにかすらなかった。当たっても前に打球が飛ばなかった。手元で伸びていたのである。大谷のストレートを空振りしないということは、スピードガンの表示ほど、体感速度は速くないということだろう。

ピッチングはリリースポイントが大切だ。ボールを離す瞬間に指でしっかり回転をかける。これがバッターの手元で伸びるストレートを生み出す。逆にいえば、大谷のストレートの質はまだ高くない。しっかり準備して狙いを絞れば打ち崩せないことはないはずなのだ。

一方、バッター大谷に対してはやはり、私のいう四ペア——緩急、内角・外角、高低、ストライクとボール——を最大限に使うことが必要だ。なかでもインコースを攻めることが大切になる。大谷ほど背が高くて手足も長ければ、インコースをさばくのは容易ではないからだ。

かつてONに対しては「厳しいインコース攻めはしない」という不文律があった。万が一、球界の宝にぶつけでもしたら何をいわれるかわからないからである（対して私は何度ぶつけられたことか。「野村ならいくらぶつけても大丈夫」と思われていたのだろう）。

パ・リーグ各バッテリーの大谷への攻め方を見ていると、同様の傾向が感じられる。まして、いまは危険球と判断されれば一発で退場だ。インコースを攻めにくいのはわからないでもない。

だが、それでは大谷の思うつぼ。大谷は「自分にはインコースは来ない」と思っている。アウトコース攻め一辺倒では、餌食（えじき）になるだけだ。首から下のインコースを果敵に攻めなければいけない。

言い換えれば、二刀流の成功は、プロ野球のレベルが低下したことを象徴しているのである。いま私がキャッチャーをやっていたら（監督でもいい）、好きなようにはさせない自信はある。

一流は一流を育てる――これは私の持論であり、疑いのない事実である。ライバルと切磋琢磨することで人は成長する。「あいつに負けてたまるか！」という強い気持ちが、どうすれば打ち取ることができるか、打ち崩すことができるか、全身全霊を振り絞らせることになり、そのプロセスが成長を促すのだ。過去の一流選手はみな、そういう道を辿ってきた。そして、プロとしての意地をかけたぶつかりあいが名勝負や劇的なドラマを生み出し、それらがファンの感動を呼んだことで、プロ野球は今日の隆盛を築くことができたのである。

そういうライバルがいまの大谷にはいない。ライバル不在という状況は、大谷にとってはもちろん、プロ野球全体にとっても不幸なことである。

「大谷、何するものぞ！」

選手たちには、その気持ちを強く持ってほしいと望む。

3 「真のワールドシリーズ」を開催せよ

今回は私の〝夢〟の話をしたい。

二〇一五年十一月、日本と台湾を舞台に「第一回世界野球WBSCプレミア12」という国際大会が開催された。二〇一三年に設立された世界野球ソフトボール連盟（WBSC）なる団体が主催、同団体の世界野球ランキングの上位十二の国および地域の代表が参加する大会である。

ランキングはトップチームだけでなく、二十一歳以下、大学、十八歳以下など各世代代表も含めた国際大会や国際試合の結果もポイント化したもので、主催者によれば、「野球の国力を反映する」のだという。

たいして興味はなかったが、テレビで放送されていればどんな野球でも観るタチなので、プレミア12も時間があるときには何の気なしに観戦していた。

テレビでは、アナウンサーがしきりに叫んでいた。

「侍ジャパンが〝世界一〟奪還を目指す！」

日本代表は、二〇一三年のワールドベースボールクラシック（WBC）で三連覇を逃した。だから、「世界一奪還」というわけだ。

だが、私は鼻白む気持ちがした。

「この大会で優勝したからといって、何が〝世界一〟なんだ……」

あらゆるところで指摘されているように、プレミア12にメジャーリーガーが出場しているのは事実だが、ベストメンバーではない。つまり、必ずしも「野球の国力を反映」しているわけではなく、世界最高峰の大会とは到底呼べないのだ。

結果的に日本は準決勝で韓国に逆転負けを喫して優勝を逃したが、そんな大会で〝世界一〟を〝奪還〟したところで、いったい何の意味があるというのか。

「名前負け」していた日米野球

現役のころ、私は日米野球に何度も出場した。かつては前年のワールドシリーズを制したチームが来日し、全日本や日本の単独チームと十数試合戦うのが常だった。当然、やってくるのは現役バリバリのメジャーリーガーで、ウィリー・メイズ（当時サンフランシスコ・ジャイアンツ）やロイ・キャンパネラ（ブルックリン・ドジャース）、ボブ・ギブソン（セントルイス・カージナルス）といった、メジャー史上に名を残す選手たちも少なくなかった。

正直、まったく勝てる気がしなかった。一九六二年には、阪神のエースだった村山実とバッテリーを組んで、デトロイト・タイガースを相手に（アル・ケーライン、ロッキー・コラビト、ノーム・キャッシュの〝ビッグガン・トリオ〟を中心とする打線はとくに強力だった）、完封勝利を飾ったこともあるが、これは例外。彼らはなかば観光気分で来日していたが、金田正一さんや稲尾和久といった日本を代表するピッチャーですら、ホームランをポンポン打たれた。

ただ、いまから考えれば、これにはわれわれが名前負けしていた部分も大きかったと思う。「メジャーはすごい」という固定観念があって、最初から「勝てない」と決め込んでいたのだ。なにしろ当時はメジャーの試合を観るどころか、情報すらほとんど入ってこなかった。実態以上に彼らを大きく感じたとしてもしかたがない。

たしかに彼らは強力だった。とくに体格とパワーはわれわれとは桁違いだった。けれども、緻密さや細やかさではそれほど差はなかったし、とりわけキャッチャーのリードに関しては、日本のほうが上だと私は感じた。

それから幾星霜（いくせいそう）。野茂英雄を嚆矢として、日本人選手が次々にメジャーに挑戦し、成功を収める選手も登場するようになった。そのころ、ヤクルトの監督だった私はユマ・キャンプの際、臨時コーチを務めてくれていたパット・コラレス（当時アトランタ・ブレーブスのコーチ）に訊ねたことがある。

「日本人選手がメジャーで活躍できるようになった理由は何だろうか？」

パットは言った。

「ムース（私の愛称）が戦っていたころのメジャーは十六球団だった。それがいまは三十球団。そのぶん選手層が薄くなってレベルがかなり落ちてしまった。いまのメジャーリーガーには、昔なら3Aレベルの選手もたくさんいる。それがひとつ目の理由だ。そしてもうひとつはもちろん、日本の選手のレベルが上がったことだ」

「なるほど」と思った。メジャーの試合を観ても、「すごいなあ」と驚くことが少なくなっていたからだ。むしろ「たいしたことない」と感じることが多かった。

「これなら日本の野球のほうが上じゃないか」

そう思うこともしばしばだった。

アメリカがベストチームを編成しない理由

私がそう思った根拠とは何か――。

体格やパワーはもちろん、単純に投げて打って走るという技術では、日本はいまだアメリカはもとより、キューバやドミニカといった国々にもかなわないだろう。

しかし、そうした「有形の力」には限界がある。メジャーリーガーであっても、時速二百キロのボールを投げられるピッチャーはいないし、打率五割、八十本塁打をマークしたバッターはひとりもいないのだ。

まして野球は団体競技。しかも接触プレーは少なく、一球ごとに「間」がある。ということは、孫子の兵法の言葉を借りれば、「敵を知り、己を知れば、百戦殆うからず」。事前に相手の情報を集め、分析し、それをもとに周到な戦略・戦術を練る。そのうえで、適材を適所に配し、組織力とインサイドワーク、すなわち「無形の力」を駆使して戦えば、充分に対抗できるどころか、凌駕できるのである。そして、それこそが日本がもっとも得意とするところであり、最強の武器となる。「日本のほうがアメリカよりも上」と私が述べた根拠はそこにあった。

しかも、無形の力は突き詰めれば突き詰めるほど、磨けば磨くほど鋭さを増す。つまり、限界はないのだ。

二〇〇六年の第一回WBCで日本が優勝したことで、私は自分の考えの正しさをあらためて確信した。

王貞治に率いられた日本代表は、第二ラウンドで韓国とアメリカに敗れるという大苦戦を強いられた。アメリカがメキシコに敗れたことで、いわば棚ぼた式に準決勝に進出したわけだが、総体的に日本の長所を最大限に活かした戦いをしたと思う。それは、アメリカ代表として出場したデレク・ジーターが日本代表について語った次のコメントを引用すれば明らかだろう。

「連中の長所が、そのままわれわれの弱点なんだ。彼らは細かいプレーを本当にていねいにこなしている。走者を進めたり、タイミングよくバントしたり、エンドランをうまく使う。本当にいいチームは、そうやって試合に勝つんだ。ああいう試合では、ホームランばかりに頼ってはいけないのさ」（ロバート・ホワイティング『世界野球革命』より）

アメリカがその後もWBCにメジャーリーガーを中心とするベストメンバーとしてのオールアメリカンチームを送り込んでこない最大の理由は――契約など障壁はいろいろあるのだろうが――プライドの問題だと私は信じている。はっきりいえば、負けるのが怖いのだ。たとえメジャーリーグ選抜軍であっても、日本や韓国がきちんと準備して臨めば、敗れる可能性は充分にある。そうなれば、彼らのベースボールの母国としての誇りや威信は木っ端みじんに打ち砕かれてしまう。それを恐れるから、ベストチームを送り込もうとしないに違いない。第一回大会の敗戦がトラウマになっているのである。

北京五輪の失敗

アメリカの真意はともかく、無形の力を最大限に活用すれば、日本はアメリカに勝るとも劣らない。が、逆にいえば、そういう戦い方をしなければ日本は勝てない——これも事実である。そのことを如実に示したのが、二〇〇八年の北京オリンピックだった。

日本代表を率いた星野仙一は、「一点を守り切る野球」を掲げた。各国のエース級が登板してくる国際大会では、打ち勝つのは難しい。星野のいうことは正しい。

ところが、実際にやったことは逆だった。機動力のある選手は少なく、「徹底的に収集した」と胸を張ったデータも活用しているふうには見えなかった。コーチを務めたのが星野の〝お友だち〟の田淵幸一と山本浩二だったから、当然といえば当然だろうが、ヒットが出るのをただ待っているだけ。技術力だけに頼った野球をしていた。日本が目指すべき野球をしていたのはむしろ韓国だった。であれば、日本がキューバ、アメリカ、韓国に敗れるのは必然。日本はメダルにすら届かなかった。

その反省からか、第二回WBCの指揮を執った原辰徳(たつのり)は「日本力」というスローガンを掲げ、ダルビッシュ有、岩隈久志、松坂大輔らを擁した投手陣を中心とする守り勝つ野球で連覇を果たした。ときに観察力と洞察力を欠いた城島健司のリードなど、気になる点はいくつか見られたけれども、自己犠牲を厭(いと)わない、日本らしい戦い方をしたと思う。

ところが、山本浩二が監督を務めた第三回WBC、そして小久保裕紀が率いたプレミア12での戦いぶりは、北京オリンピックのときに逆戻りした観があった。

たとえばプレミア12では、ある試合で、同点で迎えた七回、ノーアウト二塁という場面があった。このケースでは、バッターはライト方向を狙うのが鉄則だ。ランナーが三塁に進める確率が高くなるからである。最悪でもワンアウト三塁というかたちにする。それが定跡である。

ところが、そのバッターは(左バッターだった)、「進塁打を打つ」という意識をかけらも見せず、レフト方向に流し打ってしまった。しかも、フライを上げた。結局、ランナーは二塁に釘付けとなった。

私にいわせれば、これは野球ではない。「野球は確率のスポーツ」であることを、選手も首脳陣も理解していない。そんな有形の力に頼った「投げ損じ・打ち損じ」の〝野球もどき〟をしていては、勝てる試合をみすみす落とすことになってしまう。その意味で、三位という結果は順当なものだったといわざるをえない。

真のワールドシリーズの開催を

二〇一五年、日本シリーズで二連覇を飾ったソフトバンクの孫正義オーナーがいったそうだ。

「（ワールドシリーズ王者の）カンザスシティ・ロイヤルズと真のワールドシリーズをやってみたい」

孫さんは以前から不思議に思っていたという。

「なぜ、アメリカのチャンピオンが世界のチャンピオンなのか？」

まったく同感である。私もずっとそういい続けてきた。アメリカンリーグとナショナルリーグの王者が激突するいまのワールドシリーズは、たんなる〝アメリカシリーズ〟だ。アメリカのチャンピオン＝世界チャンピオンなんて、思い上がりもはなはだしい。真のワールドシリーズを開催せよと――。

二〇〇五年、日本、韓国、台湾、中国、オーストラリアの国内王者が覇を競う「アジアシリーズ」がスタートした。しかし、注目度は低く、観客動員もいっこうに上がらないこともあって、二〇一三年を最後に開催されなくなってしまった。なにより、選手の大会に対するモチベーションが感じられなかった。

その理由はやはり、大会が〝世界〟につながっていなかったことが大きいと私は思う。たとえば、サッカーにもアジア各国のリーグ王者などがしのぎを削るアジアチャンピオンズリーグという大会があるが、この勝者は各大陸のチャンピオンがクラブ世界一をかけて激突するクラブワールドカップに出場できる。出場できれば世界から注目されるし、そこで活躍した選手は、強豪クラブからの誘いもあるだろう。選手のモチベーションは自然と高まることになる。

ところが、野球にはクラブワールドカップがない。アジア王者はアジア王者のまま。〝世界王者〟はつねにアメリカであり、挑戦する機会さえ与えられないのである。とくに日本人選手は優勝しても当然と見なされ、負ければこっぴどく批判される。これではモチベーションが上がるはずがない。

サッカーでいえばワールドカップにあたるWBCにしても、メジャーリーグ主導ではじまったにもかかわらず、アメリカチームはベストメンバーには程遠い編成だ。WBCの目的は、はっきりいって選手の〝品評会〟だ。メジャーリーグの各球団が、各国選手の品定めをしているのである。事実、大会後には、日本や韓国、キューバの選手がメジャーに移籍するケースが非常に多いという。こんなことを漫然と受け入れていていいわけがない。

事実、第三回大会は、日本が参加するかどうかで大いにもめた。だったら、そんなものはいっそのこと廃止して、日本側から真のワールドシリーズの開催を働きかけたらどうかと強く思うのだ。

アメリカ、アジア、中南米、ヨーロッパなどのチャンピオンチームが真の世界一をかけて戦うのである。中南米やヨーロッパはクラブチームの出場が難しいというのなら、代表チームでもいいだろう。アジア、中南米、ヨーロッパのなかで一位になったチームがアメリカのチャンピオンに挑戦するかたちでもかまわない。野球の普及という点においても、そのほうがWBCなどよりよほど効果があると思う。

いまやアメリカが日本の野球を〝逆輸入〟する時代である。実際、第一回WBC以降、メジャーの野球は明らかに変わった。かつての〝打高投低〟から〝投高打低〟へとシフトしたのである。個々の力に頼ることなく、データを積極的に活用し、一点を着実に取って、ピッチャーを中心に守り切る野球が全盛となったのだ。

まさしくこれは、日本がもっとも得意とし、実践してきた野球にほかならない。バッターの攻略法やサインプレー、トリックプレーなどを、アメリカは日本から学んだはずである。アメリカは、WBCの敗戦であらためてその重要性に気がついたのだ。

だからこそ、そういう野球で「真の世界一」を決める戦いを見たい。五十年前なら日本のチャンピオンはアメリカのチャンピオンには歯が立たなかったろう。でも、いまはわからない。野球は「意外性のスポーツ」である。しっかり準備して、無形の力を最大限に活かして臨めば、日本のチャンピオンが自称〝世界一〟のチームを倒す可能性は大いにある。なんとしてもそれを見たい――これが私の夢なのである。

おわりに　プロフェッショナルとは何か

日本のプロ野球八十年の歴史を、プロ野球と〝同い年〟である私の野球人生を重ね合わせながら振り返ってきたが、その最後に「プロフェッショナルとは何か」ということを述べ、球界へのエールに代えたいと思う。

というのも、最近、「プロ野球を見てもワクワクしない」と口にすることが増えたからだ。むしろ、「何をやっているんだ！」「何を考えているんだ！」と腹が立つことのほうが多い。いまのプロ野球は、プロフェッショナルの体(てい)をなしていない。私にはそう見えるのだ。

長嶋こそ真のプロフェッショナル

そもそもプロ野球の「プロ」とはどういう意味か。

野球を仕事にしている、野球をしてお金をもらっているというだけでは、真のプロとはいえない。

「ゼニになる選手になれ！」

鶴岡一人監督は、口癖のようにいったものだ。

「お客さんは高い金を払って観に来ているんだから、ちゃんとやれ！」

プロ野球は、いってみれば〝サービス業〟。野球をして対価を得る以上、それにふさわしい価値、見合うものをほんとうに提供できているのか、鶴岡さんのいうように、お金を出す身になって考えなければならない。

その意味で「これぞプロフェッショナルだ」と私が認めるのは長嶋茂雄である。

「やさしいことをいかに難しく見せるか」

それが彼の哲学だった。たとえば平凡なゴロが転がったとき、長嶋はわざとスタートを遅らせ、ぎりぎりのところでキャッチしてファインプレーに見せるということをしばしばやった。空振りすると派手にヘルメットが飛ぶように、わざと大きめのヘルメットをかぶった。つまり、ファンを喜ばせることをつねに考えていた。

長嶋は、たとえオープン戦であってもフル出場した（これは王貞治も同様だった）。それがファンに対する義務だと考えていたからだ。流行（はやり）の言葉でいえば、〝お客さんファースト〟。いつもファンのほうを向いてプレーしていたのが長嶋という選手だった。

長嶋とは逆に、「難しいことをやさしそうに見せる」――そういう哲学を持った選手もいる。元ヤクルトの宮本慎也などはこのタイプだろう。バッテリーのサインやバッターのタイプを考慮して守備位置を変えるなどの準備をあらかじめしておけば、ふつうなら外野に抜ける打球でも平凡な内野ゴロに見える。外野手なら、長打になりかねない飛球を凡フライに変えることができる。野球の見巧者をうならせるという意味で、これもまた真のプロフェッショナルといっていい。

プロ意識＝恥の意識

それでは、私自身はプロフェッショナルをどのように捉えているのか。

「恥の意識を持っていること」

ひと言で表せば、そうなる。すなわち、「プロとして恥ずかしい」という意識を持っているかどうかである。

「プロ意識＝恥の意識」

私はそう考えている。誰でも真似できるようなプレーをしていては、プロとして恥ずかしい。アマチュアがとても真似できないプレーがプロのプレーである。「やさしいことを難しく見せる」のも「難しいことをやさしく見せる」のも、そういう恥の意識が根底にはある。

プロとして恥ずかしくないプレーをしようと思えば、もっと練習してうまくならなければいけない。グラウンドの外においても、厳しく自分を律しなければならない。そうする「必要」があるのではなく、「義務」があるのだ。つまり、全身全霊、全知全能を捧げて野球に取り組む選手。そういう選手を私はプロフェッショナルと呼ぶのである（それゆえ私は、結果以上にプロセス、過程を重視した。その意味で、プロ野球の「プロ」は「プロセス」の「プロ」でもあると考えている）。

そして、プロ意識が高まれば高まるほど欲が深くなる。一流と呼ばれる選手は、例外なく欲深いものだ。

「三割打てば一流」とよくいわれるが、考えてみれば、十回のうち七回も失敗が認められる仕事などほかにない。だとすれば、三割程度で満足しているようではとてもプロとはいえない。十割打ってはじめて「満足した」といっていいのである。

恥の意識があれば、常に「もっと上」を目指すに決まっている。それが真のプロフエッショナルであり、そのレベルにない者は試合に出てはいけないのである。

しかし、いまはこうしたプロ意識が薄れているのではないか――私にはそう思えてならない。

私が現役だったころは、何かにつけ「おれたちはプロだから」という言葉が自然に出た。「プロだから失敗は許されない」とみんなが思っていたし、監督やコーチは「それでもプロか！」と叱責することが多かった。

「おまえら、高校野球からやり直せ！」

よくいわれたものだ。

「おれたちは野球のプロなんだ」という意識を持ってグラウンドに立っている選手がいま、どれだけいるだろうか。そもそも、いまの選手はファンのほうを向いているようには見えないのである。

繰り返すが、「三割打つことが、あるいは二桁勝つことがチームに貢献する」という考え方と、「チームが勝つために三割打つ、二桁勝つ」という考え方は、同じようでいて違う。前者はチームより個人記録優先なのに対し、後者は個人記録よりチーム優先といえる。

プロである以上、後者を目指すのは当然。チームが勝つために自分が何をすべきかを最優先に考えるべきで、チームが勝った結果として自分の記録がついてくるという視点に立つべきなのだ。

なぜなら、ファンがなによりも願うのは応援するチームが勝つことであり、個人記録ではないからである。〝お客さんファースト〟とは、そういう意味なのだ。

ところが、いまの選手のほとんどは、チームより個人記録を優先しているように私には見えるのだ。たとえば、二〇一七年三月に開催されたWBCに向けた二月の台湾リーグ選抜との壮行試合で、こんな場面を目にした。日本代表が三点差を追う九回である。先頭の四番・筒香嘉智がワンストライク・スリーボールから難しい変化球を打ちにいったのだ。

あわやホームランというファウルになったが、私が監督だったら、もう一球待たせるところ。積極性の勘違いというしかない。相手は待たれるほうが嫌なはずなのだ。結果、筒香は次の高めのボール球を強振、三振に終わった。

壮行試合で、しかも四番だったから小久保裕紀監督は指示を出さなかったのかもしれないが、私が筒香の立場だったら自主的に待つ。「チームが勝利するために自分が何をすべきか」を第一に考えれば、ここは〝積極的〟に待たなければならない。そうしてこそプロの野球といえるのである。

結果として、本戦も予想以上の健闘を見せたものの、ベスト四に終わった。準決勝のアメリカ戦は、好投した菅野（巨人）を援護できなかった。メジャーのピッチャーの動くボールを完璧に捉えるのが困難なのは事実だ。

だが、だからこそ、一点をとるために、個々の選手は技術力に頼るのではなく、自分が何をできるのか、すべきなのか考えなければならない。監督やコーチはそうした意識を徹底させなければならない。でなければ、次回も同じ結果になる可能性は高いだろう。

なぜプロ意識が薄れたのか

いったいなぜ、いまの選手たちからプロ意識が感じられなくなったのだろうか。

恵まれすぎ——それが最大の理由だと私は思う。

戦争を体験している私の世代はもちろん、ある時期までの選手は、多かれ少なかれハングリーや貧乏を経験している。そこから抜け出すためにプロ野球の世界に身を投じた者は少なくなかった。たくさんお金を稼ぐためには、なんとかして頭角を現し、試合に出られるようにならなければならない。そのためにはどうすればいいのか、懸命に考え、練習した。レギュラーになったらなったで、少々のケガでは休まなかった。休んでいるあいだにポジションを奪われるのが怖かったからだ。

その点、いまはプロの選手になっただけで、たとえ二軍であっても、同世代の人間に較べれば、はるかにいい生活ができる。周囲もちやほやしてくれる。そのため、多くの選手はそこで一種の達成感を得てしまう。満足してしまうのだ。プロの選手になったということは、本来はスタートであるはずなのに、ゴールになってしまうのである。本人は否定するだろうが、私から見ればそうなのだ。クビになった選手が一様に「もっとがんばっておけばよかった」と口にするのがその証拠だ。

現状に満足してしまえば、それ以上の努力を厭うようになる。「このくらいやればいい」と低いレベルで妥協し、その妥協が「自分の力はこの程度だ、これが限界だ」という自己限定につながるのである。そうなってしまっては、プロ意識など持ちようがない。

自慢ではないが、私はバッティングにおいてもリードにおいても、満足したことなど一度もなかった。つねに理想を追い求めた。とりたてて才能に恵まれていたわけではない私がまがりなりにもプロの世界でやってこられたのは、それがいちばんの理由だといっていい。

　そもそも「限界」という言葉は、軽々しく使っていいものではない。文字通り血を吐くような努力をしてはじめて口にできる言葉である。そして、本当の限界に突き当たったときにどうするかが、一流になれるかなれないかを分けるといっても過言ではない。

　私の経験を述べれば、三年目に一軍に上がり、四年目にホームラン王のタイトルを取った矢先、大きな壁にぶち当たった。どうしてもカーブが打てなかったのである。以前にも増して練習しても結果は同じ。要するに、技術的な限界に突き当たったのだ。

　そうなれば、もはや頭を使うしかない。私は配球の傾向を調べ、併せてピッチャーのフォームのクセなどを研究することで活路を見出そうとした。配球を読み、狙い球を絞ろうとしたわけだ。そうすることで、打率三割前後、ホームラン四十本程度をコンスタントにマークすることができるようになった。

　プロに入るような選手であれば、徹底的に技術を突き詰めれば、二割七、八分は打てる。問題は、そこからなのだ。本当のプロの戦いとは、技術的限界を超えたところで繰り広げられるべきものなのだ。

　ところが、いまの選手たちを見ていると、技術力だけに頼っているように見えてしかたがない。ただ、力いっぱい投げ、打てばそれでよしと考えているようだ。

だが、繰り返し述べてきたように、野球とはたんに技術力をぶつけ合うだけのスポーツではない。一球一球変化する状況のなかで、おたがいが人知を尽くして心理戦や情報戦を展開し、最善の作戦を実行する。そのせめぎ合いに野球の本質はある。

それに、たとえ天才であっても技術力には限界がある。百六十キロのボールはそう投げられないし、打率四割をマークしたバッターすら日本にはいない。技術力で魅了するだけでは、プロの野球とはいえないのだ。「考えているな」とか「いいアイデアだな」と観る者を驚かせてこそ、プロの野球といえるのである。いまの選手たちは、そのことをどこまで理解しているのだろうか。

コミッショナーもプロ意識を持て

プロ意識に欠けるのは選手だけではない。

私は、プロ野球の将来に大いなる危機感を抱いている。このまま存続していけるのか、正直、不安に思っている。

地上波でのテレビ中継はほぼなくなったといっても過言ではないし、なにより競技人口が減っている。昔は運動神経のいい子どもはほぼ百パーセント野球をやったものだが、いまはサッカーに流れている。しかもサッカーはボールひとつあればどこでもできるのに対し、野球は公園などでは禁止されていることが多い。少子化に加え、やりたくてもかんたんにはできなくなっているという状況が野球にはあるのだ。

Jリーグの初代チェアマンを務めた川淵三郎さんと対談したことがある。そのとき、川淵さんが語ったことには、Jリーグはスタートするにあたって「プロ野球を百パーセント参考にした」そうだ。プロ野球の「巨人中心主義」と「非地域密着」を反面教師とし、Jリーグの仕組みをつくりあげたのだと……。

前にも述べたように、私は南海時代に四国へ、ヤクルト時代に北海道への移転を球団に提案したことがあったが、いずれもとりあってもらえなかった。その後、南海を譲り受けたダイエーが福岡に、日本ハムが北海道に、楽天が仙台に本拠地を構え、地域密着は多少進んだとはいえ、いまだ四国や北陸には球団が存在しないのに対して、関東には巨人、ヤクルト、横浜DeNA、西武、ロッテの五球団が集中している歪さは解消されていないし、球界内部における巨人の影響力はいまだに絶大なものがある。トップ選手のメジャー移籍もいっこうに止まらないし、アマチュアとの交流はなかなか進まない。こういう状況を鑑みれば、WBCのような一時的な盛り上がりはあるにしても、近い将来、サッカーにお株を奪われるような気がしてならないのである。

川淵さんは（本心がどうかはわからないが）「野球には勝てません」と話していた。けれども、油断は禁物だ。サッカー界は競技人口を広げ、人気を呼び込むために一体となって一所懸命努力している。対してプロ野球界は何もしていないに等しいではないか。

プロ野球界が生き残っていくためには、さまざまな改革を断行していかなければならないが、では、誰がそれを実行するのか。もちろん、最高権力者であるところのコミッショナーにほかならない。「組織はリーダーの力量以上には伸びない」という。明確なビジョンと決断力を持つ川淵さんのようなプロ意識を持った強力なリーダーが、球界にも必要なのだ。

しかるに、代々のコミッショナーはみな、元裁判官や元役人で、たんなるお飾りに過ぎない。権限も弱く、特定の球団のいいなりになるばかり。私がいうのは僭越かもしれないが、とても「プロ」とは呼べない。

なにより、サッカー日本代表だった川淵さんと違って、野球のことを知らない。愛情を持っているようにも見えない。当然、プロ意識など持ちようがないのである。

コミッショナーはいやしくも野球界のトップであるのだから、少なくとも選手だった人間が就くべきだと私は思う（では、誰にするのかと訊かれると思い浮かばないのが歯痒(はがゆ)いのだが……）。選手経験があれば、当事者意識を持って問題点に気づき、改善しようと考えるだろうし、選手への求心力も増すはずだ。その下に実務を任せられる専門家をアドバイザーとして置けばいい。

とにもかくにも、プロ野球界全体であらためてプロフェッショナルとはどうあるべきか自問自答し、プロ意識を取り戻してほしい。それがプロ野球のさらなる発展を望む一OBとしての私の願いである。

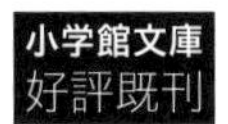

野村の実践「論語」

野村克也

野村克也がこれまで野球の現場で、あるいは解説で、講演会で話してきた「名言」を、その言葉が生まれるに至った背景・状況とともに紹介。そこに「論語」から選び抜いた文言を比較しつつ並べた、人生の指南書。

―――本書のプロフィール―――

本書は、二〇一七年に小学館より単行本として刊行された『私のプロ野球80年史』を改題し、文庫化したものです。

小学館文庫

勝ちたければ歴史に学べ
野村克也、知の野球史

著者　野村克也

二〇二〇年六月一〇日　初版第一刷発行

発行人　飯田昌宏
発行所　株式会社　小学館
〒一〇一-八〇〇一
東京都千代田区一ツ橋二-三-一
電話　編集〇三-三二三〇-五一三二
　　　販売〇三-五二八一-三五五五
印刷所　――――　図書印刷株式会社

この文庫の詳しい内容はインターネットで24時間ご覧になれます。
小学館公式ホームページ　https://www.shogakukan.co.jp

ISBN978-4-09-406780-4